UNIVERSALE
ECONOMICA
FELTRINELLI / SAGGI

CW00734807

ROLF SELLIN
Le persone sensibili hanno una marcia in più

Trasformare l'ipersensibilità da svantaggio a vantaggio

Traduzione di Cristina Malimpensa

Titolo dell'opera originale
WENN DIE HAUT ZU DÜNN IST. *Hochsensibilität - von Manko zum Plus*
by Rolf Sellin
© 2011 Kösel-Verlag, a division of Verlagsgruppe Random House GmbH,
München

Traduzione dal tedesco di
CRISTINA MALIMPENSA

© Giangiacomo Feltrinelli Editore Milano
Copyright © 2012 Urra – Apogeo s.r.l.
Prima edizione nell'"Universale Economica" – SAGGI
settembre 2013
Settima edizione dicembre 2015

Stampa Nuovo Istituto Italiano d'Arti Grafiche - BG

ISBN 978-88-07-88207-4

www.feltrinellieditore.it
Libri in uscita, interviste, reading,
commenti e percorsi di lettura.
Aggiornamenti quotidiani

IL RAZZISMO
È UNA
BRUTTA STORIA.

razzismobruttastoria.net

Indice

Trasformare l'ipersensibilità
da svantaggio a vantaggio

Vi ritrovate nel testo che segue?
Questo libro fa per voi.

Prima – Una situazione tipica

Gerlinde si rimproverava di continuo di non riuscire a essere così spensierata come le colleghe. Loro non si ponevano dubbi e quando lavoravano a un progetto non calcolavano eventuali imprevisti che, secondo lei, le avrebbero trovate impreparate. Ma esponendo queste sue perplessità, Gerlinde sapeva che non si sarebbe attirata la loro simpatia, per cui evitava di farlo. In molti casi avrebbe anche saputo come venire loro in aiuto, ma questo era compito dei superiori, non suo. E ora si rimproverava anche di essersi lambiccata inutilmente il cervello per i problemi altrui.

Le colleghe erano già da un po' in pausa pranzo. Lei dapprima aveva apprezzato quella calma (finalmente), ma ora erano subentrati ulteriori fastidi: il ronzio dell'impianto di riscaldamento, un leggero sibilo nei termosifoni, il rumore dell'ascensore, la ventola dei computer, il ticchettio degli orologi... Pur avendo avuto bisogno di un po' più di tempo per concludere il lavoro, si sentì obbligata a mettersi in pari con le colleghe e lo portò in qualche modo a termine. Riordinò la scrivania alla bell'è meglio, seppur controvoglia, sapendo che poi non sarebbe riuscita a trovare più niente.

D'altronde cosa avrebbero pensato gli altri di tutto quel caos?

Mentre si stava dirigendo in mensa, rifletté un attimo su cosa preferiva fare: andare a mangiare o piuttosto fare una passeggiata? Certo che poi l'avrebbero accusata, come al solito, di essere poco socievole. Passando davanti ai colleghi del settore marketing, sentì tutti i loro sguardi puntati su di sé. Perché non si era controllata prima allo specchio? Si diede velocemente un'occhiata per accertarsi che tutto fosse in ordine. Cercò di scansare il custode che le veniva incontro trasportando una scala a pioli, prima spostandosi su un lato, poi all'ultimo istante sull'altro. Per fortuna lui riuscì a ruotare la scala in tempo, evitando di colpirla.

In mensa Gerlinde si sentì tempestata da stimoli fastidiosi: luce accecante, odori di cibi che si sovrapponevano l'uno all'altro, brusio di voci alternato a rumore di posate; lo stridere metallico di un mestolo la fece trasalire e le fece salire un brivido lungo la schiena.

In quel momento le si avvicinò il signor Stechel per parlarle di una questione di lavoro, proprio nel mezzo della sala dei banconi del cibo. Lo ascoltò senza capire molto di quello che le diceva: in mezzo a quella confusione non riusciva a concentrarsi. Meno capiva, più rispondeva "sì" e "va bene", pur sapendo che più avanti se ne sarebbe pentita.

Finalmente riuscì a sbarazzarsi di lui. E ora in che fila le conveniva mettersi? Scelse la più corta, ma appena qualcun altro si accodò dietro si lei, ne percepì l'impazienza. Quelli davanti a lei non avanzavano, quelli dietro la spingevano e lei si trovava bloccata nel mezzo. Reagì con una vampata di sudore e subito fu assalita dal terrore di emanare un cattivo odore, che avrebbe potuto rovinare l'appetito agli altri. Non riusciva più a contenere la tensione. Che figura avrebbe fatto, a quel punto, se avesse abbandonato la fila? Avrebbero pensato che era un'indecisa? Oppure una schizzinosa, una che non sopporta il minimo disagio? Era sicura che, restando lì, nel giro di breve tempo avrebbe sentito uno stimolo alla vescica che l'avrebbe costretta a cercare un bagno. Le bastò il pensiero ed ecco che lo percepì davvero. Era meglio che uscisse subito dalla fila, fintantoché non aveva ancora il vassoio in mano, quindi rinunciò al piatto caldo. In fondo, al reparto dolci non c'era mai coda. Pur essendosi ripromessa di perdere peso, finì per prendere un dolce. Era la cosa meno complicata. Ora si trattava di trovare un posticino tranquillo un po' in disparte, anche se non era facile muoversi tra tutta la gente della mensa tenendo in equilibrio il vassoio, considerato che si sentiva ormai allo stremo delle forze. A quel punto la signora Welz le fece un cenno con la mano e liberò il posto accanto al suo. Gerlinde si chiese come avrebbe potuto rifiutare. Le rispose quindi con un sorriso e si avviò verso il posto a lei riservato. Sapeva già cosa l'aspettava: la Welz non vedeva l'ora di riversarle ancora una volta addosso tutti i suoi problemi. In parte Gerlinde si sentiva onorata di questo, visto che la signora non si confidava con tutti. In più, apprezzava gli argomenti profondi che affrontava (la vita matrimoniale e così via). Lei, inoltre, era brava a trovare sempre ottime soluzioni per i problemi altrui, anche se ogni volta che gliene aveva proposti, la signora Welz li aveva puntualmente rifiutati, tutti.

Quel giorno anche Gerlinde aveva voglia di raccontare qualcosa di privato. Ma non appena accennò a farlo, l'altra le disse di avere qualcosa di urgente da riferirle e prese subito la parola.

Vi *piacerebbe* ritrovarvi nel testo che segue?
Questo libro fa anche per voi.

Dopo – Una situazione tipica

Prima di iniziare la pausa pranzo, Gerlinde si era presa il tempo necessario per concludere il lavoro che aveva in corso. Aveva riordinato la scrivania e dato un'occhiata alle pratiche ancora da sbrigare, che poi aveva sistemato in base all'urgenza e all'importanza. Se fosse sopraggiunto qualcos'altro di urgentissimo, avrebbe saputo farvi fronte. Aveva accettato l'idea che ogni tanto il lavoro richiedeva più tempo del previsto, ma sapeva anche apprezzare la propria capacità di controllo e senso di responsabilità, come d'altronde faceva il suo capo.

Si diede una breve sistemata prima di avviarsi in mensa. L'espressione "darsi una sistemata" la faceva sorridere: in realtà mentre lo faceva aveva la sensazione di richiamare tutte le attenzioni e le energie dedicate al lavoro, per riconcentrarle su di sé. Ora tornava a sentire in modo più intenso il corpo e il respiro, che si era fatto più tranquillo e più profondo, e questo la faceva sentire anche più forte in generale. Le tensioni alla testa che ogni tanto comparivano erano notevolmente diminuite, anche se di tanto in tanto tornava a concentrare troppe energie a livello mentale, pur sapendo quanto le convenisse lavorare in modo più disteso e sereno.

Mentre si stava dirigendo in mensa, percepì le voci allegre dei colleghi del reparto marketing. Ne prese atto e li salutò cordialmente. Loro fecero altrettanto. No, non si reagisce così a qualcuno che è oggetto della discussione in corso. Per quale motivo avrebbe dovuto essere al centro delle loro chiacchiere? E se anche fosse stato? Tutto sommato, non le importava poi così tanto.

Un tempo si lasciava automaticamente influenzare dallo stato d'animo altrui. Ora, invece, Gerlinde aveva deciso di accettare l'allegria dei colleghi senza per forza indagarne il motivo. Con questo stato d'animo entrò in mensa. Ammirò la luce che dalle finestre laterali illuminava le piante: le foglie proiettavano sul pavimento ombre alquanto singolari che le ricordavano le opere di Matisse. Rimanendo nel "qui e ora" e dirigendo consapevolmente la propria attenzione, registrò i vari rumori di fondo della mensa senza che il volume e la confusione di voci la infastidissero. A quel punto, come di consueto, il collega Stechel si diresse verso di lei con l'intenzione di parlare di lavoro, ma oggi sembrò volersi fermare poco prima. Prima che potesse iniziare a parlare, Gerlinde lo anticipò e gli disse che verso le 14 gli avrebbe telefonato per una questione e se aveva qualcosa da riferirle avrebbe potuto farlo più tardi. Con un sorriso se lo lasciò alle spalle.

Davanti ai banconi di distribuzione dei piatti si prese un po' di tempo per chiedersi cosa aveva voglia di mangiare: era un ottimo esercizio per capire meglio i propri bisogni del momento e soddisfarli, oltre che per sperimentare un nuovo metodo decisionale. Come si sarebbe sentito il suo corpo dopo aver mangiato spaghetti scotti conditi con una salsa rosso scuro e accompagnati da polpettine pallide, oppure dopo un bel piatto di arrosto di maiale con crauti e patate o, ancora, dopo una bella minestra di verdure? Ci pensò su ancora un po' e, nonostante la fila, decise per l'ultima opzione, che le aveva suscitato un moto di approvazione nello stomaco. Una volta messasi in coda, fece in modo di mantenere sufficiente spazio tra sé e le persone che aveva davanti e dietro, anche se la collega alle sue spalle aveva accennato a spingere. Stare in fila le ricordò di quando era a Londra e aspettava con altra gente l'arrivo degli autobus a due piani. Nel frattempo, però, era arrivato il suo turno e in un attimo si era ritrovata con il minestrone sul vassoio.

Da quando un giorno aveva cacciato in mano alla signora Welz il numero di telefono di un terapeuta di coppia, questa non le aveva più fatto cenno di sedersi al suo tavolo. Con chi aveva voglia di sedersi, oggi? Aveva forse bisogno della compagnia di colleghi anch'essi impegnati a risolvere i propri problemi? In alternativa, poteva anche starsene per proprio conto. Oppure perché non provare a chiacchierare un po' con il signor Steiner e la signora Küfner? Erano simpatici. Gerlinde li salutò e chiese se il posto era libero.

Questo esempio fittizio dimostra che non è l'ipersensibilità di una persona a determinarne la felicità o l'infelicità, la soddisfazione o l'insoddisfazione, l'energia o l'apatia. Ci sono ipersensibili che soffrono della propria condizione e altri che riescono a sfruttarla in modo costruttivo.

Vi piacerebbe scoprire come trasformare l'ipersensibilità da svantaggio a vantaggio? In caso affermativo, siete i benvenuti!

Il libro che ha cambiato la mia vita

Quando, in un soleggiato pomeriggio di settembre di alcuni anni, fa entrai in una libreria di Santa Barbara, California, non immaginavo ancora che quel momento avrebbe cambiato per sempre la mia vita. Mi ritrovai tra le mani un libro *The Highly Sensitive Person* (letteralmente "L'ipersensibile"). A prima vista pensai che potesse essere interessante. Poi, appena lessi il sottotitolo, letteralmente "Come uscire vincitori anche quando il mondo vi schiaccia", sentii accelerare il battito cardiaco: era una situazione che conoscevo da quando ero bambino. Comprai quel libro e anche tutti gli altri di Elaine N. Aron. Lo lessi e rilessi e mi resi conto che stava descrivendo me e la mia situazione.

Non si trattava, però, solo della bella sensazione di sentirsi capiti. C'era qualcosa di più. La professione che avevo svolto fino a quel momento sembrava finalmente aver trovato quel fulcro che fino ad allora non ero riuscito a individuare. Per capire me stesso e sopravvivere in buona salute, infatti, avevo svolto tutta una serie di studi psicoterapeutici, sperimentato svariati metodi e tecniche e ne avevo elaborati io stesso altri, che poi avevo proposto in seminari e sedute individuali con persone nella mia stessa situazione: dal controllo delle proprie percezioni all'elaborazione consapevole degli stimoli, fino alla riduzione del dolore. Tutto ruotava attorno alla capacità di trovare il proprio centro, ai metodi per imparare a stabilire i propri limiti o a farsi scivolare sopra tutto, alle tecniche per prendere distanza interiore da se stessi o da altri. A questi si aggiungevano metodi per eliminare lo stress, per modificare i propri schemi mentali ed emotivi... Quello che desideravo era trovare un *metodo costruttivo per gestire l'ipersensibilità*, anche se fino ad allora non ero ancora giunto a definire tale concetto. Finalmente potevo riassumere il lavoro svolto in modo ancora più mirato ed efficace e metterlo a disposizione di altri soggetti ipersensibili con i miei stessi problemi. Avevano tutti un nome, per cui potevo contattarli facilmente.

Come vivere bene l'ipersensibilità

In questo libro non mi limiterò a descrivere la natura degli ipersensibili e gli svariati problemi legati alla loro condizione, né intendo trasmettervi semplicemente un po' più di autostima. Quello che ritengo più importante è capire come mai alcuni ipersensibili vivono felici, interiormente appagati e vincenti grazie a questa loro caratteristica, mentre altri la percepiscono come un vero e proprio peso. Cos'è successo a quei soggetti meno fortunati che soffrono della loro condizione? Cosa avviene in loro, esattamente? Come si comportano? In che modo si "creano" quella situazione? *E come si può percepire, pensare, sentire, comunicare e gestire la propria energia in modo diverso, così che il dono di una sensibilità particolarmente sviluppata divenga un vantaggio? Perché farlo è possibile.*

Imparare a trovare i propri limiti

Con i miei pazienti e nella mia stessa esperienza personale ho continuamente avuto modo di osservare tentativi falliti di adattamento e coraggiosi sforzi per riuscire a "non essere poi così sensibile". È proprio questo sforzarsi, peraltro vano, a essere quello che non si è e a non percepire come si percepisce a costituire la prima causa dei problemi che gli ipersensibili, in genere, lamentano. Comportandosi in questo modo, si sacrifica la percezione di se stessi, che torna a farsi prepotentemente sentire solo quando è troppo tardi. *Chi non percepisce se stesso, non può prendersi cura di sé*. Chi non è presente a se stesso, non è consapevole del proprio valore. Tale condizione, di norma, porta a sprecare inutili energie nel contatto con il mondo esterno e ad avere difficoltà nel definire i propri limiti. Chi invece percepisce in modo consapevole, è centrato e conosce i propri limiti, ha anche più energie.

Ma cosa sono, esattamente, i propri limiti? Anche dopo aver letto alcuni libri sull'argomento, si può avere l'impressione che si tratti di qualcosa di estremamente arbitrario. Ritengo importante far capire che i limiti di un individuo hanno una base assolutamente fisico-sensoriale e concreta. Che la mancanza di limiti precisi possa portare a conflitti è un fatto del tutto ovvio. Solo una volta che gli ipersensibili hanno imparato a fissare i propri limiti e hanno sviluppato la propria capacità di sostenere conflitti – altra cosa che in genere non riescono a fare – possono riuscire a far valere la loro particolare predisposizione per le amicizie e la vita di coppia. In questo libro troverete esercizi concreti per imparare a percepire e a stabilire i vostri limiti.

La particolare modalità di percezione degli ipersensibili, che li porta a cogliere un numero incredibile di stimoli, li obbliga anche a elaborare un'enorme quantità di informazioni. Ecco il motivo per cui al centro del mio lavoro c'è proprio la percezione e un modo migliore di gestirla.

Poiché uomini, donne e bambini ipersensibili possono vivere condizioni molto diverse tra loro, in questo libro troverete sezioni dedicate alle specifiche caratteristiche dei tre gruppi.

Cosa potete guadagnarci

Nei libri dedicati all'argomento oggi in commercio, la situazione degli ipersensibili è spesso descritta nel dettaglio, di frequente compianta e a volte addirittura edulcorata. È *giunto il momento di indicare metodi per riuscire a gestire da soli in modo attivo e costruttivo l'ipersensibilità, in modo da trarne vantaggio per sé e per gli altri.* La presa di coscienza, gli esperimenti e gli esercizi presentati di seguito insegnano a vivere il dono dell'ipersensibilità in modo più consapevole e orientato alla soluzione; vi permetteranno non solo di comprendere meglio la vostra situazione, ma vi motiveranno anche a gestirvi in modo diverso. Scoprirete come sfruttare al meglio questa vostra caratteristica. Chi assume il controllo della propria percezione, imparando a guidarla e a dosarla, apporta cambiamenti notevoli alla propria esistenza.

Tutti gli errori classici che si commettono da ipersensibili mi sono noti per esperienza diretta. Quando mi chiedono se il mio lavoro è efficace, non ho bisogno di pensare ai successi riscontrati dai miei pazienti o dai partecipanti ai miei seminari, mi basta ricordare il mio caso. Io so come ero prima e come sono ora. In questo libro presento un riassunto condensato delle mie conoscenze sui processi mentali ed energetici relativi alla percezione e all'elaborazione degli stimoli in quelle che vengono definite "Highly Sensitive Person". Spero che vi possa accompagnare verso una vita più serena e piena di energia, nella quale non dobbiate più considerare l'ipersensibilità uno svantaggio, ma un dono del tutto particolare.

Capitolo 1

Ipersensibili: una pelle sottile

Gli ipersensibili si dimostrano spesso più aperti verso le tematiche psicologiche rispetto ad altri individui. Hanno voglia di capire sé stessi e il mondo. Sono disposti a indagare dietro le quinte e a mettere in dubbio sé stessi e quanto li circonda. Molte persone ipersensibili, consapevoli della propria particolare condizione, si rendono conto di poter solo scegliere tra accettarla come uno stato di sofferenza o intraprendere la strada verso una maggiore consapevolezza e lo sviluppo di una nuova coscienza.

Il contributo degli ipersensibili

La maggior parte degli ipersensibili prova un profondo desiderio di rendere il mondo più umano ed è pronta ad agire in prima persona. Proprio in questo può consistere il loro contributo alla società. Sono loro, infatti, a rilevare per primi soprusi o ingiustizie; sono i primi a riconoscere mancanze e spesso a intuire le conseguenze di un agire poco corretto e benevolo.

Agli ipersensibili sono richiesti un maggiore sforzo mentale e una certa conoscenza, se vogliono mantenersi sani a livello psichico e affermarsi a livello professionale e privato. Sono costretti a chiarirsi continuamente le idee e a svolgere più lavoro interiore degli altri, per non rimanere ingarbugliati in conflitti e soddisfare le richieste che si vedono porre da se stessi e dal mondo esterno. Questo lavoro interiore, tuttavia, assicura loro anche un grande vantaggio: ciò che da persona ipersensibile si apprezza particolarmente è, infatti, l'acquisizione della consapevolezza. Una volta raggiunto questo traguardo si ha a disposizione un tesoro meraviglioso: un'enorme ricchezza interiore. Per la società si tratta di un contributo prezioso e importante, che può aiutarla a guadagnare sempre più in termini di umanità e che nessuno meglio di un ipersensibile è in grado di fornire!

Quando un ipersensibile passeggia in un bosco, percepisce molti più stimoli di chi è al suo fianco. Inoltre è in grado di individuare più correlazioni tra quanto percepisce e altri oggetti o fenomeni. Quando si reca a un concerto o al museo, in realtà dovrebbe pagare più degli altri visitatori, perché grazie alla sua particolare modalità percettiva è in grado di rilevare e apprezzare molto di più – sempre che non venga sopraffatto dai troppi stimoli, come accadeva a me in passato. Anche in assenza di eventi particolari, l'esistenza di un ipersensibile può risultare particolarmente intensa e ricca di esperienze. È per questo che non abbiamo bisogno di particolari spunti o sensazioni, a meno che non rientriamo nella tipologia di ipersensibili descritta nel paragrafo "High Sensation Seeker: ipersensibili alla ricerca di forti emozioni".)

Percepiamo più stimoli degli altri e in modo più intenso, ma questo vale anche per gli aspetti negativi dell'esistenza. I soggetti ipersensibili possono rimanere sopraffatti da tutta la sofferenza, la povertà, le ingiustizie e il dolore del mondo. La loro propensione all'empatia può portarli ad avvertire tutto ciò con intensità ancora maggiore, rischiando di rimanerne vittima e di non riuscire più ad agire. Anche il dolore li colpisce in modo più violento.

Ipersensibilità non significa comunque sentire per forza in modo *più profondo* di altri. Ci sono ipersensibili che lo fanno e altri no. Questo non impedisce, tuttavia, che anche questi ultimi risentano dell'eccesso di stimoli percepiti, che li costringe a una pesante, ma indispensabile, rielaborazione.

In realtà esistono combinazioni molto diverse di ipersensibilità, ognuna con caratteristiche proprie, come avviene per qualsiasi particolare talento.

IPERSENSIBILI = IPERTALENTUOSI?

Ipersensibilità significa fondamentalmente percepire stimoli in numero maggiore e in modo più intenso di altri. Non indica assolutamente che una persona sia forte o debole, introversa o estroversa, particolarmente dotata nel suo campo o intelligente, anche se intelligenza e ipersensibilità sono innegabilmente in rapporto tra loro. Esistono ipersensibili di ogni genere. Molto dipende, inoltre, da come un individuo gestisce questa sua condizione: se riesce a trarne vantaggio o la vive in modo negativo.

La percezione degli stimoli: un criterio determinante

Così come esistono modi diversi per tagliare una torta e suddividerla in porzioni, anche le persone possono essere distinte in base a differenti criteri, come il gruppo sanguigno, il colore degli occhi o l'altezza. Dato che viviamo in un'epoca nella quale tutti sono sottoposti a un numero sempre crescente di stimoli e informazioni, è senz'altro sensato e utile provare a classificare i vari individui in base al modo in cui percepiscono gli stimoli. Quelli che lo fanno con maggiore sensibilità e intensità risentono sicuramente di più dell'eccesso di informazioni del mondo attuale rispetto a coloro che ne percepiscono un numero inferiore. Vengono colpiti nel loro punto debole e si vedono costretti a registrare e rielaborare una quantità davvero enorme di materiale e a cercare di gestirlo in modo costruttivo, se non vogliono che si rivolti contro di loro.

A lungo ignorata dalla scienza

Il motivo per cui gli ipersensibili percepiscono la realtà in modo più sottile e intenso di altri non è ancora stato chiarito del tutto. Forse la causa è un sistema nervoso più raffinato? Oppure la presenza di un numero maggiore di recettori nel cervello? Forse, per qualche motivo sconosciuto, producono più neurotrasmettitori? E se sì, quali? Hanno più neuroni specchio, che permettono loro un'immedesimazione più immediata nell'altro? Esiste una causa per questa caratteristica o si tratta invece di un insieme di più cause? Tutte queste sono domande di cui si deve occupare la scienza e noi non possiamo che attenderne con ansia i risultati!

Negli ultimi anni Jerome Kagan, ritenuto uno dei precursori della psicologia dello sviluppo, ha cercato di scoprire, insieme a un team di ricercatori, se le caratteristiche della personalità di un individuo presenti già nell'infanzia sono stabili o possono risentire dei fattori esterni nel corso della crescita. Lo psicologo americano è riuscito a dimostrare scientificamente che il temperamento innato di un individuo si mantiene tale per tutta la sua vita, come una sorta di *fil rouge* della sua esistenza.

A livello teorico si possono distinguere centinaia di temperamenti diversi: Kagan, tuttavia, ha svolto i suoi studi tenendo conto in particolare dell'impressionabilità e della reazione agli stimoli. Questo gli ha permesso di scoprire che circa il 20 percento dei soggetti sottoposti continuativamente a test da neonati, bambini e, successivamente, adolescenti e giovani adulti, reagiva in modo particolarmente sensibile. Egli chiamò questo gruppo "high reactor", in contrapposizione ai "low reactor", tra i quali rientrava circa il 40 percento dei soggetti sottoposti al test.

Anche se nel suo libro *La trama della vita*, Kagan non parla di ipersensibilità, con le sue ricerche durate decenni ha fornito senza dubbio una conferma scientifica indiretta alle scoperte di Elaine N. Aron. Entrambi sono giunti alla conclusione che rientra nella categoria degli ipersensibili dal 15 al 20 percento di tutti gli individui. Secondo Kagan l'"iperreattività" è alquanto diffusa (e lo stesso fa Aron, definendola "ipersensibilità"). Analizzando il cervello degli iperreattivi, tra l'altro, si riscontrano alcune particolarità a livello di amigdala e di corteccia prefrontale.

ELAINE N. ARON: UN'ANTESIGNANA DELLA RICERCA

La psicologa americana Elaine N. Aron vanta il merito di aver "scoperto" al momento giusto l'ipersensibilità da un punto di vista specialistico e di aver coniato il concetto di *Highly Sensitive Person*. Nell'ambito di una terapia svolta con una collega, Aron fu colpita da un'osservazione della sua terapeuta: "Certo che lei è una persona estremamente sensibile!". Questa formulazione le diede da pensare. Fino a quel momento non si era mai occupata di ipersensibilità e anche le ricerche svolte successivamente dimostrarono che, per quanto suonasse strano, stava camminando su un terreno ancora vergine.

Nel 1996 Elaine N. Aron pubblicò il suo primo libro sul tema, *The Highly Sensitive Person*, con un geniale sottotitolo, che riassume al meglio la situazione degli ipersensibili: *How to thrive when the world overwhelmes you*, letteralmente "Come uscire vincitori anche quando il mondo vi schiaccia". Seguirono altri libri sull'argomento.

Nonostante tutto questo, fino a oggi la scienza non si è occupata sufficientemente di questo fenomeno. Il rilevamento statistico basato sull'assunto che tutti i soggetti sono uguali tra loro ha probabilmente ostacolato la ricerca sulla sensibilità spiccata e appare evidente che la scienza risulta più interessata a risultati con una valenza generale (almeno in teoria). Un esempio: di norma i test farmacologici vengono svolti su uomini appartenenti a una determinata fascia d'età, ma i risultati vengono poi estesi a uomini di età superiore, nonché a donne e bambini, sebbene queste ultime due categorie denotino differenze ben marcate dagli uomini, a livello ormonale. Se si tiene conto, inoltre, che esiste anche il gruppo degli ipersensibili, la situazione si complica ulterior-

mente: in molti hanno potuto sperimentare che spesso a loro
bastano dosi molto inferiori di un determinato farmaco per
ottenere la reazione sperata.

A lungo trascurati dalla psicologia

Nemmeno la psicologia ha degnato della meritata attenzione
il fenomeno degli individui con una particolare facoltà percettiva. Questo spiega il motivo per cui, spesso, gli psicoterapeuti non sono in grado di prestare loro aiuto.

Molti ipersensibili riferiscono che gli psicoterapeuti tendono a concentrarsi esclusivamente sulle conseguenze della
loro particolare modalità percettiva, ossia, per esempio, sulla loro tendenza alla timidezza, alla paura e alla depressione,
alla scarsa resistenza allo stress e ai sintomi patologici cronicizzati. Nessuno mette al centro dell'analisi il loro modo di
percepire la realtà. Non ci si è nemmeno resi conto che con le
loro terapie, spesso inadeguate ai pazienti ipersensibili, molti
terapeuti hanno solo contribuito a renderli ancora più de-
pressi e rassegnati alla loro condizione.

UN'ECCEZIONE DI INIZIO SECOLO

Un'eccezione in tal senso è rappresentata da Ernst Kretschmer
(1888-1964), un professore di psichiatria e neurologia famo-
so per aver elaborato la teoria dei tipi costituzionali, basata
sulle correlazioni tra costituzione individuale, personalità psi-
chica e predisposizione alle malattie mentali di un individuo.
Nel suo *Manuale teorico-pratico di psicologia medica*, fin dai
lontani anni Venti egli descrive i tratti essenziali degli individui ipersensibili, che definisce "reattivo-sensibili". Da un lato
ne riconosce "l'indole straordinariamente delicata e l'estrema
vulnerabilità, ma dall'altro anche una certa ambizione e caparbietà. Questi individui denotano in genere una vita emotiva fortemente interiorizzata, che li porta a trattenere tensioni
presenti da tempo, una raffinata capacità di auto-osservazione

e autocritica, un'etica scrupolosa e la capacità di provare vera empatia". Li descrive come: "individui seri, timidi e discreti all'apparenza", ma anche dotati di "orgoglio e ambizione". La scoperta di Kretschmer portò a conclusioni che oggi appaiono irrimediabilmente antiquate e si rivelò evidentemente troppo precoce: in ogni caso, le qualità che un ipersensibile poteva mettere sul piatto della bilancia, all'epoca erano ancora richieste a livello professionale. Tra queste ricordiamo: accortezza, senso di responsabilità, scrupolosità, modestia e disponibilità. Ancora più importante della situazione attuale della psicologia è il fatto che noi ipersensibili ci percepiamo in quanto tali: se descrivo le nostre caratteristiche essenziali nel corso di una conferenza, tra il pubblico molti individui nella mia stessa condizione tirano un sospiro di sollievo. Si sentono riconosciuti e compresi e si rendono conto di non essere soli. Non tutto è perduto, quindi: semplicemente, nessuno ci ha ancora spiegato come riuscire a gestire la sensibilità estrema senza troppe sofferenze.

Ipersensibilità: uno svantaggio o un vantaggio, nella vita?

L'ipersensibilità è una dote. Questo non presuppone, tuttavia, che chi può vantarla la riconosca come tale e sappia sfruttarla al meglio.

Chi percepisce con maggiore sensibilità di altri è potenzialmente in grado di trarre dalla vita più gioia, più piacere e più ricchezza interiore. Una sensibilità particolare, inoltre, può avere ripercussioni positive anche sul successo di un individuo. In ogni settore della vita può rivelarsi di vantaggio sia per l'ipersensibile stesso, sia per chi gli è accanto: ne sono un esempio il caporeparto che riesce a capire con precisione quanto può arrivare a chiedere ai sottoposti, il negoziante che capisce al volo cosa desidera il cliente, l'ingegnere che intuisce che direzione sta prendendo un determinato sviluppo tecnologico, il tecnico che individua con esattezza l'origine del guasto, la gallerista che scopre le potenzialità di un determinato artista e per prima se ne assicura la collaborazione, l'atleta che sa esattamente fino a che punto può spingersi con la prestazione e da che punto l'allenamento comincia a essergli dannoso, la madre che sa aiutare il figlio senza per questo limitarne l'indipendenza e l'autonomia.

Nonostante questo, però, ci sono anche ipersensibili di altro genere: quelli che percepiscono i bisogni altrui ancor più dei propri, che non si prendono cura di sé e poi ne pagano le conseguenze e sono scontenti, quelli che evitano ogni conflitto e non sono capaci di riconoscere e difendere per tempo la propria posizione, finendo per vivere in conflitto con gli altri per tutta la vita. Ci sono quelli che non si reputano sufficientemente in gamba sul lavoro, perché non si limitano a fare quanto loro richiesto, ma esigono da se stessi molto di più, si fanno carico dei problemi altrui, finendo per non accorgersi più dei propri; vedono sempre e solo l'aspetto negativo delle cose e si precludono le tante possibilità che la vita offre.

SEMPRE E SOLO BELLO, BUONO E UTILE?

Nella letteratura specifica sull'argomento, finora il soggetto ipersensibile è sempre stato descritto come un individuo di estrema delicatezza fisica e di nobiltà d'animo. I nostri lati oscuri sembrano essere messi da parte. Eufemismi e mezze verità, tuttavia, non sono di alcuna utilità, tanto meno per i diretti interessati. Noi ipersensibili, in effetti, abbiamo un'unica scelta: possiamo rassegnarci a soffrire più o meno della nostra condizione oppure decidere di imparare a gestirla in modo consapevole e costruttivo.

Ipersensibilità: una dote per tutta la vita

Anche se noi ipersensibili tendiamo a pensare di essere i soli al mondo a trovarci nella nostra condizione, l'ipersensibilità è molto più diffusa di quanto pensiamo: ne è interessato dal 15 al 20 percento della popolazione.

Gli ipersensibili, quindi, non sono affatto rari. Che non saltino all'occhio e si considerino casi isolati può dipendere dal fatto che, in genere, tendono ad adeguarsi alla propria situazione e a rinnegare la propria natura. In effetti risultano piuttosto irritanti quando, per esempio, reagiscono in maniera esagerata perché sottoposti a stimoli eccessivi. Un ipersensibile viene senz'altro apprezzato per la sua disponibilità e capacità di empatia, ma spesso è talmente timido e riservato da non lasciar nemmeno trapelare le proprie qualità.

Si potrebbe magari ipotizzare che l'ipersensibilità sia una conseguenza della civiltà occidentale, ma in realtà gli individui ipersensibili sono presenti da sempre, in ogni popolo e cultura. A cambiare è il modo di valutarli e di gestire la loro condizione. Ci sono culture, per esempio, nelle quali gli ipersensibili sono particolarmente apprezzati e altre che esercitano una fortissima pressione affinché tali soggetti si adeguino alla condizione di tutti gli altri individui. Di certo l'ipersensibilità non era degnata del minimo rispetto all'epoca in cui a un individuo si richiedeva fin dalla giovane età di essere "veloce come il levriero, resistente come il cuoio e duro come l'acciaio Krupp"[1].

La predisposizione all'ipersensibilità non si limita agli esseri umani, ma è presente anche nel regno animale. Avere al proprio interno alcuni esemplari dotati di una sensibilità particolare torna a vantaggio della sopravvivenza di un branco: sono loro a percepire per primi il pericolo e ad allertare gli altri. Persino nelle specie animali che non vivono in branco, la presenza di soggetti ipersensibili si rivela di grande vantaggio: questi ultimi non si mettono a rischio lasciandosi coinvolgere in battaglie per l'approvvigionamento di cibo, ma si ritraggono e si mettono al sicuro evitando la lotta. Il vantaggio degli ipersensibili nell'ambito della sopravvivenza risiede proprio in quello che per molti di loro oggi si è trasformato

---

1   Si tratta di un discorso di Hitler riportato in *Mein Kampf* in merito all'educazione dei giovani nell'ambito del programma di superiorità razziale [N.d.T.]

in un fardello: una capacità percettiva differenziata e molto più estesa rispetto a quella dei normali individui.

Ereditarietà: la combinazione di geni e influssi ambientali

Elaine N. Aron parte dal presupposto che l'ipersensibilità sia ereditaria. La psicologa, tuttavia, individua un ulteriore fattore in grado di influenzarla, vale a dire l'esitazione del bambino di fronte al mondo ancora inesplorato. Quando muove i primi passi, si sente un po' più sicuro grazie alla presenza dei genitori o non trova alcun sostegno affidabile? Si sente incoraggiato da loro o piuttosto intimorito quando osa un minimo di indipendenza?

Spero che il concetto risulti chiaro. Per riassumere: attraverso il patrimonio genetico si eredita anche la caratteristica della sensibilità spiccata. A essere trasmesso, però, è anche qualcos'altro, che a sua volta determina se quel tipo di sensibilità si rivelerà per l'interessato un problema o un vantaggio. I genitori ipersensibili trasmettono anche il proprio atteggiamento (eventualmente problematico) nei confronti di questa loro caratteristica. Riescono ad accettarla o la rifiutano? Combattono l'ipersensibilità nel figlio o lo tengono nella bambagia perché per primi sono stati costretti a reprimere questa loro natura? E come gestiscono la loro modalità percettiva, i loro limiti? Come vivono questa loro dote?

Fino a che punto è realmente determinante l'ereditarietà genetica e quanta parte gioca, invece, la socializzazione? A questa domanda non si riuscirà mai a dare una risposta convincente. In realtà non è nemmeno del tutto corretto porsela: già da tempo l'epigenetica ha riconosciuto che alla base vi è sempre una concomitanza di patrimonio genetico e fattori esterni. Sono gli influssi ambientali ad attivare o disattivare i vari geni!

Test – Siete ipersensibili?

In quali affermazioni vi riconoscete?

Per me, girare per negozi risulta più stressante che per altre persone. ☐

Sembro lasciarmi impressionare più degli altri dalle scene violente al cinema o in televisione. ☐

Reagisco alle ingiustizie sociali come se ne fossi direttamente coinvolto. ☐

Senza dubbio tendo a spaventarmi molto di più delle altre persone. ☐

Ogni volta che entro in un nuovo ambiente mi sento subito inondato da tutte le novità e di solito ho bisogno di più tempo degli altri per riuscire a orientarmi. ☐

Risulto molto più sensibile ai rumori rispetto agli altri.
I rumori forti mi creano quasi un disagio fisico. ☐

Viaggiare mi risulta più stressante rispetto ad altre persone. ☐

Il contatto con gli altri a volte esaurisce le mie energie. ☐

Spesso rimugino all'infinito su qualcosa, anche una banalità, detta da me o da altri. ☐

A volte ho l'impressione di riuscire a sentire anche quello che gli altri non dicono. ☐

Spesso mi torna in mente di continuo qualcosa che ho dimenticato di dire o che non ho svolto nel migliore dei modi. ☐

Riesco a percepire con estrema precisione come si sentono gli altri. ☐

Spesso mi sento frainteso, perché evidentemente percepisco più cose di altri (e anche cose diverse) e a volte questo mi fa sentire molto solo. ☐

Preferisco evitare i grandi assembramenti di gente. ☐

Da bambino rimanevo molto impressionato quando l'insegnante si arrabbiava con qualche mio compagno. Avevo l'impressione che stesse urlando con me, nonostante io non c'entrassi niente. ☐

In quali affermazioni vi riconoscete?

Quando ci sono tensioni e possibili conflitti nell'aria, lo percepisco quasi a livello fisico, pur non essendone coinvolto direttamente.	☐
Mi lascio inutilmente coinvolgere dallo stato d'animo altrui.	☐
Se percepisco confusione e agitazione intorno a me, reagisco innervosendomi, lasciandomi prendere dallo stress o producendo sintomi a livello psicofisico.	☐
Sento un grande bisogno di avere uno spazio e del tempo tutto per me.	☐
Per sentirmi bene devo percepire intorno a me un'atmosfera armoniosa.	☐
Preferisco evitare il più possibile le situazioni conflittuali. Anche quando dovrei farmi valere tendo a tirarmi indietro, pur prendendomela poi con me stesso per non aver avuto coraggio.	☐
Mi riesce più facile lottare per i diritti degli altri o le richieste della comunità, piuttosto che per i miei stessi interessi.	☐
So prestare ascolto, sono capace di immedesimarmi nella situazione altrui e incoraggiare chi ha problemi.	☐

La soluzione del test di autovalutazione

Se avete risposto affermativamente a più della metà delle domande, probabilmente appartenete anche voi alla categoria delle persone ipersensibili, a meno che in questo periodo non stiate attraversando una situazione particolarmente stressante (in cui anche soggetti normali possono reagire da ipersensibili).

Provate ad accertarvene chiedendovi: "Com'era la situazione in passato? E quando ero piccolo?", quindi passate di nuovo in rassegna tutti i quesiti. Se otterrete ancora lo stesso risultato, o un altro con più di dodici "sì", dovrete considerarla una conferma della vostra ipersensibilità. Potete provare a rispondere anche al test specifico per bambini ipersensibili.

Test – Vostro figlio è ipersensibile?

Quali affermazioni corrispondono a vostro figlio?

Il bambino reagisce violentemente ai volumi sonori elevati o ai rumori forti e cerca di allontanarli. ☐

Ama appianare ogni attrito o tensione e cerca sempre di favorire un'atmosfera armoniosa. ☐

Quando ha accanto qualcuno triste o malato, si immedesima nella sua situazione e assume spontaneamente un atteggiamento di estremo riguardo nei suoi confronti. ☐

Predilige giochi tranquilli (se si arrabbia, però, a volte può anche mettersi a urlare). ☐

Avverte subito eventuali tensioni tra i genitori, anche se questi non le manifestano o cercano di tenerle nascoste. ☐

Stimoli eccessivi creano ben presto in lui un senso di insicurezza e di stanchezza, tanto che a quel punto ha bisogno di chiudersi in se stesso e di stare solo. ☐

Si accorge da solo di ogni minimo cambiamento. ☐

Mentre gli altri bambini si divertono a girare sulla giostrina del parco a tutta velocità, lui ha paura. ☐

Ogni tanto gli piace giocare da solo e si lascia assorbire completamente dalla sua occupazione. ☐

È un po' restio a intraprendere nuove attività o a conoscere cose e persone nuove e si mantiene sempre un po' a distanza di sicurezza, prima di lasciarsi coinvolgere. ☐

Appare interessato, ma al contempo un po' sulle sue, quando viene presentato ad altri bambini o adulti. ☐

Non ama particolarmente le gare e le competizioni, non ne approfitta per mettersi in vista. Evidentemente non è interessato a vincere o a dominare. ☐

Fin da piccolo pretende molto da sé. Quando è costretto a riconoscere che, nonostante gli sforzi, non ha ottenuto i risultati sperati, ne soffre. Questi sono i momenti in cui può essere preso dall'ira e mettersi a urlare. ☐

Rispetto ad altri bambini è piuttosto tranquillo e silenzioso, anche se ci sono sempre eccezioni (per esempio quando è arrabbiato o sottoposto a stimoli eccessivi). ☐

Quali affermazioni corrispondono a vostro figlio?

Ama l'armonia e la giustizia. Condivide volentieri con gli altri i biscotti e la cioccolata e si accerta che tutti ne ricevano una parte. Quando qualcuno subisce un'ingiustizia, si sente coinvolto in prima persona e, in alcuni casi, è pronto a prenderne le difese anche di fronte a bambini più grandi.	☐
Spesso ha solo uno o due compagni di gioco, con i quali mantiene un contatto intenso; all'interno di gruppi più numerosi dimostra un atteggiamento piuttosto riservato o addirittura di rifiuto.	☐

La soluzione del test

Se potete confermare più della metà (quindi otto) delle affermazioni, vostro figlio potrebbe essere ipersensibile. Tene-
te comunque presente che il risultato può essere influenza-
to dalla situazione momentanea, dal vostro rapporto con il
bambino e da altri simili fattori. Tra l'altro, questo test generale non prende in considerazione l'età del bambino.

Irritabilità: un'ipersensibilità acquisita

L'ipersensibilità è una dote e una caratteristica determinata
sia dal patrimonio genetico, sia da fattori sociali e si mani-
festa già a partire dall'infanzia. Spesso sono le condizioni di
vita del bambino a influenzarla ulteriormente. Ciononostante, esiste anche un tipo di sensibilità che compare solo a un
certo punto della vita e si modifica poi con il passare dell'età.
In questo libro mi riferirò a questa sensibilità acquisita con
il termine "irritabilità". Alla sua origine vi possono essere
eventi traumatici o malattie fisiche o una particolare vulnerabilità causata da allergie a sostanze tossiche, come metalli
pesanti o prodotti antitarlo.

Una persona affetta da un disturbo acuto, per esempio
causato da un'infezione nascosta, vive per certi aspetti ai li-

miti delle possibilità di resistenza. Il suo sistema immunitario è costretto a combattere ininterrottamente e il sistema nervoso reagisce entrando in totale stato di allarme a ogni minima richiesta. In una condizione del genere, qualsiasi stimolo ulteriore può risultare eccessivo. Spesso basta questa irritabilità a spingere l'interessato a indagare sulle cause nascoste di tale situazione. Anche i disturbi della funzione tiroidea possono portare un individuo a reagire come un ipersensibile e a sentirsi facilmente sopraffatto dagli stimoli. Un'altra reazione tipica, in questo caso, sono gli sbalzi tra uno stato di flemma e uno di sovreccitamento.

Silke, impiegata in un centro per la famiglia nel quale sono solito tenere conferenze, mi raccontò che per un certo periodo anche lei era convinta di essere un soggetto ipersensibile: "Non mi riconoscevo più. A ogni minimo fastidio entravo in uno stato in cui non mi controllavo, persino nei confronti di mio marito e dei miei figli. Un attimo dopo mi pentivo amaramente di essere stata tanto aspra con loro e mi criticavo duramente. Io stessa non mi sopportavo più. Sentivo ogni minimo rumore rimbombarmi nella testa, avevo l'impressione che le auto mi passassero attraverso… La mia migliore amica mi consigliò di farmi visitare da un dentista che utilizzava metodi di cura alternativi. Fu lui a curarmi alcune infezioni e a far uscire dal mio organismo le tossine; grazie a lui oggi sono tornata a essere me stessa!".

Chi riscontra all'improvviso un'irritabilità anomala, farebbe bene a sottoporsi a un controllo medico e a prendere in considerazione anche metodologie alternative di test. Potrebbe anche trattarsi di disturbi e intolleranze provocate da terapie mediche (ne sono un esempio le otturazioni in amalgama).

L'irritabilità acquisita può anche essere conseguenza di un evento traumatico. Dopo aver subito un'aggressione, una violenza sessuale o l'irruzione di ladri in casa, per una persona il mondo non appare più lo stesso. Per questo appare del tutto comprensibile che, in seguito all'evento, anche la sua sensibilità risulti alterata. Da quel momento in poi il mondo appare un luogo minaccioso, dove l'accaduto può ripetersi in ogni momento. L'attenzione dell'interessato risulta pertanto orientata all'esterno, in modo da poter prevenire qualsiasi ulteriore rischio. Il suo sistema nervoso è costantemente in allerta.

La differenza tra ipersensibilità e irritabilità consiste, tra le altre cose, anche nel fatto che quest'ultima subentra nel corso della vita. Non si tratta di una dote o di una caratteristica insita nella persona, ma di una modalità di reazione acquisita. Questo rende impossibile distinguere le caratteristiche di una percezione più fine ed estesa dall'irritabilità acquisita. La suscettibilità serve unicamente alla difesa e alla protezione. A confermare che non si tratta di ipersensibilità innata può contribuire il fatto che l'irritabilità può limitarsi a determinati aspetti ed esperienze nella vita di un individuo. L'ipersensibilità innata e l'irritabilità acquisita possono anche essere presenti contemporaneamente e rafforzarsi a vicenda, intensificando, ovviamente, la vulnerabilità e la sofferenza di un individuo.

High Sensation Seeker: ipersensibili alla ricerca di forti emozioni

Forse avete svolto il test e vi siete scoperti ipersensibili, magari anche solo in parte. Così è capitato a Michael, un mio amico, che in certi periodi si sente davvero tale, poi all'improvviso la sua sensibilità cambia completamente. Da un mese all'altro sembra scattargli una sorta di "interruttore", che lo trasforma da persona sensibile e riservata a un tipo alquanto intraprendente e costantemente in cerca di ciò che sua moglie chiama "il brivido". A volte lo osserva preoccupata, altre lo apprezza, perché con un marito simile non ci si annoia di certo! Se anche voi vi riconoscete a vivere queste due condizioni, potreste appartenere, come Michael, a una specie particolare di ipersensibili.

In genere ogni ipersensibile è costantemente costretto a trovare un equilibrio tra stimoli eccessivi e stimoli insufficienti. L'intervallo tra le due condizioni, in genere negli ipersensibili è più ristretto che nelle persone dotate di una sensibilità meno acuta. In un numero limitato di loro, tuttavia, tale intervallo è sottoposto a sbalzi estremi. Si tratta di quegli ipersensibili che sono anche *High Sensation Seeker* e che alternano periodi nei quali riescono a sopportare solo pochi stimoli e si comportano esattamente da ipersensibili, a fasi nelle quali non ricevono mai stimoli sufficienti, sono sempre alla ricerca di sfide, affrontano rischi di ogni genere e amano la lotta e la competizione (atteggiamenti del tutto anomali per gli ipersensibili).

Gli ipersensibili che rientrano anche nel gruppo degli *High Sensation Seeker* sono spesso i primi a non capire il proprio comportamento e chi vive con loro risente altrettanto di questa loro natura contraddittoria. Ovviamente di loro non si può dire che siano persone fatte solo in un determinato modo. Spesso cercano di applicare questo tipo di logica a se stessi e sottomettono entrambe le loro due facce, o magari l'una o l'altra a seconda dei periodi, sebbene entrambe facciano parte della loro natura: ipersensibili e al contempo amanti del rischio.

L'indole ipersensibile si eredita geneticamente, e lo stesso accade con l'indole da *High Sensation Seeker*. Con essa vengono trasmessi il gusto del rischio e lo spirito competitivo, il piacere della sfida, del giocarsi il tutto per tutto. Queste differenti nature si ereditano indipendentemente l'una dall'altra, per cui è possibile che in una persona siano presenti allo stesso tempo, pur risultando praticamente opposte.

Tipico degli ipersensibili che sono anche *High Sensation Seeker* è l'improvviso passaggio da "ipersensibile" a "rischioso e temerario". Tra loro vive con meno problemi chi è riuscito ad associare alle due nature diversi settori della vita, in modo da esserne padrone.

Test – Ipersensibili e anche High Sensation Seeker?

Quali affermazioni vi corrispondono?

A volte ho bisogno di provare un certo "brivido": non posso farne a meno e sono costretto a rompere tutti gli schemi consueti.	☐
A volte ho l'impressione di non riconoscermi più. Un attimo prima evitavo accuratamente ogni conflitto e ora all'improvviso sembro quasi intenzionato a generarne uno io.	☐
Me ne sto buono buono e sono sempre accondiscendente o sono un provocatore.	☐
Ho l'impressione di racchiudere dentro di me due anime opposte. A volte ne rifiuto una, a volte l'altra.	☐
Talora entro in crisi di fronte a situazioni già vissute e che ho saputo gestire senza problemi, poiché mi trovavo in una diversa disposizione d'animo.	☐
Conduco una sorta di doppia vita: dal di fuori appaio un tipo sicuro in ogni situazione, ma dentro di me mi sento l'opposto.	☐

Se vi riconoscete in queste domande potreste appartenere a questo gruppo. Fondamentale è che percepiate in voi questa contraddittorietà. L'ipersensibilità abbinata all'indole tipica dell'*High Sensation Seeker* non è comunque così facile da distinguere da quella semplice, e questo per una serie di motivi.

La maggior parte degli ipersensibili vive in generale un conflitto interiore tra una parte di sé che tende a chiedere troppo e una che chiede troppo poco. Di conseguenza, spesso non sappiamo nemmeno noi cosa pretendere da noi stessi. Questo conflitto interiore può ripercuotersi all'esterno, facendo apparire la persona interessata da un lato ipersensibile, dall'altro amante del rischio. Ogni volta che noi ipersensibili oltrepassiamo i nostri limiti, ci comportiamo in maniera diversa, spesso completamente opposta a quella che è la nostra vera natura. Chi tende a essere riservato, per esempio, si trasforma in aggressivo. Chi in genere è una persona pacata e tranquilla, all'improvviso affronta un rischio dopo l'altro. Chi tende a cercare sempre l'armonia, tende ad attaccare l'altro e a cercare lo scontro (approfondiremo l'argomento nel Capitolo 3, dedicato ai limiti). Un'ulteriore condizione che aggrava il conflitto: nelle situazioni particolarmente stressanti, gli ipersensibili tendono a dimostrarsi alquanto intrepidi e sicuri di sé, sorprendendo per primi se stessi.

Come gestire la combinazione ipersensibile/amante del rischio estremo

La cosa più sicura da fare è ricorrere allo sport per dare sfogo all'*High Sensation Seeker* presente in sé. Anna, una signora ipersensibile che partecipò a un mio seminario, sorprese tutti gli altri partecipanti rivelando di essere appassionata di uno sport estremo: fare discese in bob le garantiva quel brivido di cui sentiva di tanto in tanto il bisogno, appagando così l'*High Sensation Seeker* che era in lei. La professione da lei svolta (consulente legale in uno studio associato) si confaceva maggiormente al suo lato ipersensibile.

Altri scelgono una professione o condizioni professionali adeguate per gestire al meglio la propria natura contraddittoria. Bernd, un mio amico ipersensibile, attento interlocutore, nonché affettuoso padre, cominciò a dare il meglio di sé sul lavoro quando iniziò una carriera internazionale che gli rendeva indispensabile condurre quasi ogni settimana trattative da un continente all'altro. Girare il mondo in jet non gli crea alcuno stress e, anzi, sembra fargli davvero bene. La sua ipersensibilità gli è utile quando deve trattare con i partner d'affari.

Esiste però anche l'*High Sensation Seeker* ipersensibile che sul lavoro non regge gli stress e in vacanza si lancia nelle esperienze più estreme e rischiose, poi torna a casa malato e deve prendersi altri giorni per tornare in forma: la sua parte ipersensibile ha ripreso il sopravvento!

Manuela, una mia paziente ipersensibile, nella sua vita aveva sperimentato un'incredibile alternanza di fasi: periodi trascorsi in campagna, nella sua cittadina d'origine, dove era rimasta disoccupata o aveva svolto occupazioni modeste, e periodi esaltanti, nei quali era passata da un lavoro all'altro in Paesi differenti, dando ogni volta l'idea di rinascere a nuova vita. Alcuni disturbi fisici l'avevano costretta a fare ritorno a casa.

Tutto dipende dalla disponibilità di questi ipersensibili che sono anche *High Sensation Seeker* a riconoscere, rispettare e far convivere queste loro due nature. Alcuni uomini, per esempio, possono avere la tendenza a trascurare del tutto e a reprimere la loro parte ipersensibile. In quel caso, spesso sono le malattie o i disturbi fisici a offrire a quella loro seconda natura l'unica possibilità di ricevere un po' di attenzione.

CAPITOLO 2

Quando la percezione è solo un problema

L'ipersensibilità è una dote che permette di vivere meglio. Una capacità percettiva più sviluppata permette di avere una migliore visione d'insieme, di essere più attenti di altri e, di conseguenza, di evitare prima eventuali pericoli; quindi non si può che considerare un vantaggio. Come mai, allora, accade che alcuni ipersensibili vivano questa loro condizione come un peso, mentre altri sappiano apprezzarne e sfruttarne al meglio i vantaggi?

Solo una volta riconosciute le circostanze concomitanti che hanno portato un bambino ipersensibile a trasformarsi in un adulto infelice e una volta compreso quanto la persona stessa possa contribuire a questo infausto sviluppo, ci si può porre la domanda: come evitare che questo accada? Come opporsi a ciò? E come correggere la situazione, una volta presente? Come gestire questa dote per far sì che arrechi più felicità e più successo?

Prendiamo il caso di un bambino ipersensibile. Rispetto agli altri ha la capacità di percepire stimoli in numero maggiore, in modo più sottile, differenziato e intenso. Con questo ha a disposizione un tesoro che deve però ancora imparare a gestire al meglio, affinché si trasformi in una vera e propria facoltà. Così facendo, l'ipersensibile, più avanti, potrà fornire un prezioso contributo alla società, arricchendo la propria esistenza e quella altrui. In realtà sarebbe tutto molto semplice. Purtroppo, però, molto spesso ci si sente ripetere: "Smettila di essere così sensibile!", "Stavolta cos'è che ti dà

fastidio?!" oppure "Certo che per te è tutto un problema!".
Molti ipersensibili si sono sentiti rivolgere tantissime volte
nella loro vita commenti di questo tipo.

"Smettila di essere così sensibile!" – Anche da adulto me
lo sono sentito ripetere in tante occasioni, per esempio durante le riunioni familiari, e allora ho avuto l'impressione di
essere completamente diverso da tutti gli altri. Oggi reagisco diversamente. So anche valutare fino a che punto posso
aprirmi all'altro ed entrare in contatto con lui senza dargli
l'occasione di ferirmi. Ora mi prendo cura di me stesso e in
questo la mia ipersensibilità mi è d'aiuto.

Come ha inizio la lotta interiore

"Smettila di essere così sensibile!" – Per un bambino ipersensibile, questa richiesta è come un'offesa. Equivale a pretendere da una persona con gli occhi azzurri di averli di un altro
colore, perché quello non va bene. Oppure a far capire a una
persona dalla pelle chiara, o scura, che quella caratteristica
la rende inferiore ad altri. Ma c'è di più: tale richiesta va a
colpire la vera e propria essenza di un individuo. Molti bambini ipersensibili giungono alla conclusione che il loro modo di
percepire deve essere per forza sbagliato, visto che sembra solo
urtare gli altri, ed ecco che ha inizio la lotta contro la propria
modalità percettiva! Si tratta di una lotta contro se stessi. Non
possiamo cambiare o nascondere il colore dei nostri occhi o
della nostra pelle, ma l'ipersensibilità si può senz'altro reprimere. La si può accantonare e adeguarsi alle modalità altrui,
così da sentirsi parte di loro, accettati e amati.

Le persone ipersensibili registrano anche in modo più intenso quanto gli altri dicono e pensano nei loro riguardi e
quanto si aspettano da loro. Percepiscono in modo più profondo l'atteggiamento altrui nei loro confronti, i giudizi e i
rifiuti. Individuano inoltre in modo preciso le richieste degli
altri nei loro confronti e il modo per risultare loro graditi. Il
dono di una sensibilità raffinata fa di noi ipersensibili veri e

propri maestri dell'adattamento. Molti raccontano che spesso da bambini si immedesimavano in chi avevano di fronte, percependone le emozioni e assumendone addirittura le opinioni e il modo di vedere il mondo. E tutto questo riusciva loro del tutto naturale. Perdevano completamente il contatto con se stessi.

Primo passo: la rinuncia al proprio corpo

Dapprima un bambino ipersensibile impara a non percepire più il proprio corpo, visto che con le sue sensazioni sembra solo essergli di disturbo. Percepisce con estrema precisione ogni reazione dei genitori, ogni irritazione, ogni malessere e ogni contatto negato, ogni dubbio o il minimo accenno di rifiuto. Una percezione particolarmente sensibile/raffinata può significare la perdita di accettazione e risonanza. Quest'ultima, tuttavia, è estremamente importante – molto più di tante parole – poiché trasmette al bambino il senso di appartenenza, la sensazione di fare le cose "come si deve", lo fa sentire desiderato. Quando la risonanza è assente o poco chiara, il bambino rimane solo, privo di sostegno e addirittura con l'impressione di non essere "giusto": privo di valore.

Il bambino, quindi, impara che non va bene prestare attenzione al corpo e alle sue sensazioni. Per garantirsi l'amore dei genitori e il senso di sicurezza e di appartenenza, sacrifica ben presto la percezione del proprio corpo, che da quel momento considera un'inutile e fastidiosa appendice di mente e spirito o come una macchina dalla quale si può pretendere tutto e di cui non vale la pena rispettare i limiti.

Quando entra in contatto con altri bambini, quello ipersensibile viene sottoposto a una pressione ancora maggiore. All'asilo sono i bambini più grandi, più forti e più "tosti" a stabilire le regole. Se si vuole appartenere al gruppo e giocare con gli altri, bisogna fare quello che dicono loro. Il bambino ipersensibile sa individuare bene il modo in cui si deve comportare: in fondo è tentato di rendersi gradito agli altri, perché sa anche molto bene come si sente chi viene escluso o preso di mira, avendolo sperimentato in prima persona.

Il corpo viene dimenticato. Non è più in grado di farsi sentire in modo da fornire segnali utili, per esempio indicando eventuali squilibri, bisogni o malattie in arrivo, carichi eccessivi o limiti da rispettare. A molti soggetti ipersensibili viene a mancare il corpo inteso come sensore del proprio benessere. L'unica possibilità che gli rimane per essere percepito, consiste nell'attirare l'attenzione su di sé attraverso i disturbi e, in genere, a quel punto è ormai troppo tardi per i piccoli aggiustamenti. Come fonte di sintomi fastidiosi e dolori, alla fine il corpo non può più essere ignorato, non può più essere messo in disparte. Molte malattie di lungo corso originano proprio da questo.

Secondo passo: la rinuncia al proprio punto di vista

Il bambino ipersensibile percepisce in modo più differenziato, pertanto è maggiormente sottoposto ai messaggi contraddittori e alle informazioni occulte. In un certo senso riesce a sbirciare da dietro le quinte e sentire oltre al detto anche il non-detto, che purtroppo molto spesso si rivela contrario a quanto affermato. Questa ambivalenza sottopone spesso i bambini a sforzi eccessivi. Anche gli adulti hanno difficoltà ad accettare le ambivalenze della loro realtà. Nella nostra mentalità occidentale caratterizzata dalla logica aristotelica, le situazioni paradossali non sono contemplate: una cosa o è in un modo o in un altro. Non si ammettono contraddizioni.

Il bambino ipersensibile, invece, rileva queste discordanze nelle persone e nelle situazioni, e oltre a ricevere estremamente di rado spiegazioni in merito da parte degli adulti, spesso finisce per rinunciare alle proprie personali deduzioni. Se, per esempio, si accorge che la "cara zietta" in realtà non è quella persona così amabile e carina che dava a vedere, non riesce a farsene una ragione e, come se non bastasse, viene anche rimproverato se pone domande. Allo stesso modo si tende a considerare presentimenti o presagi da parte dei bambini semplici sciocchezze. Il problema, però, è che il piccolo non percepisce solo le proprie deduzioni (per quanto complicate siano), ma anche il modo di vedere e le aspettative altrui. Tenderà pertanto a orientarsi sulla base di quelli, sminuendo ancora di più le proprie conclusioni e indirizzando ulteriormente la percezione verso l'esterno, sempre a proprio discapito.

In situazioni di questo genere il bambino ipersensibile si sente abbandonato a se stesso all'interno di un mondo che appare più ambiguo e contraddittorio a lui che agli adulti meno sensibili, in un mondo particolarmente complesso, che lui non ha ancora gli strumenti adatti per comprendere. Si sente pertanto solo e diverso, come appartenente a un altro pianeta. Il piccolo arriva alla conclusione che gli conviene non fare più affidamento sui propri giudizi, percezioni e valutazioni. Quando invece si orienta sul modello degli altri, viene apprezzato. Adeguare la propria visione a quella altrui dà buoni risultati: trasmette senso di appartenenza e sicurezza, sebbene quest'ultima possa sempre venir meno appena si decide di ritornare fedeli alla propria vera natura.

Quando un ipersensibile non si affida più al proprio punto di vista e ai propri giudizi, tende ancora di più a fare tesoro delle informazioni altrui. Nel farlo si imbatte però nello strano fenomeno per cui le osservazioni dell'uno e le valutazioni dell'altro si contraddicono a vicenda. Questo lo porta a richiedere ancora più informazioni, che tuttavia non gli sono di aiuto, ma servono solo a fargli sembrare tutto ancor più complicato.

È impossibile per un ipersensibile sottrarsi a questa contraddittorietà. Avendo rinunciato alla percezione di se stesso, non dispone più nemmeno degli strumenti che gli permetterebbero immediatamente di venire a capo di queste complesse situazioni. Non essendo più in contatto con il proprio corpo ha perso anche quella sensazione "di pancia" che gli serviva a confermare l'esattezza delle proprie valutazioni, a giungere a risultati concreti e a prendere decisioni.

Senza la risonanza del suo corpo è in balia degli interessi altrui. Molto spesso può anche diventare vittima di manipolazioni, poiché dà più fiducia ai costrutti mentali altrui che alle proprie idee e sensazioni, che invece rappresentano proprio la sua dote.

GENITORI E INSEGNANTI IPERSENSIBILI POSSONO ESSERE D'AIUTO?

Anche se hanno vissuto un processo di adattamento simile, non è detto che adulti ipersensibili siano per forza d'aiuto per un bambino ipersensibile. In loro presenza, quest'ultimo si trova spesso di fronte a una complicatissima rete di sistemi di adattamento, valutazioni e impressioni soggettive simile a una matassa di lana aggrovigliata. Riuscire a capire genitori o insegnanti simili è, molte volte, una sfida ancora più ardua che cercare di essere accettati dal gruppo di amichetti. Se anche voi avete figli, leggete alla fine di questo capitolo e nel paragrafo a loro dedicato nel prossimo capitolo i consigli per evitare loro questo ulteriore stress, indipendentemente dal fatto che siano ipersensibili.

Terzo passo: percepire se stessi dalla prospettiva altrui

In quanto maestri della percezione e dell'adattamento, gli ipersensibili finiscono anche per adottare il punto di vista degli altri sulla realtà, tanto da arrivare addirittura a osservarla attraverso lo sguardo altrui. Quando questo accade, essi vivono un'immagine della realtà del tutto diversa dalla propria, che avvertono come estranea solo quando viene loro meno l'arte dell'adattamento. Percepiscono il mondo dalla prospettiva altrui perché non sono più focalizzati sul proprio corpo. È come se fossero senza corpo e senza luogo. Gli ipersensibili che hanno sacrificato la percezione di se stessi non hanno più alcuna opinione veramente personale.

Ma non è tutto. Molti vedono addirittura se stessi attraverso gli occhi degli altri. Si valutano in base alle scale di criterio di chi li circonda e nel farlo, in genere, si giudicano negativamente, in quanto ipersensibili. Più hanno celato la loro vera natura e si sono adattati, peggio ne escono. Di conseguenza, si adattano ancora di più, in modo da aderire quanto più possibile alle scale di valori altrui. Questo, a sua volta, provoca ulteriore dipendenza e perdita di autostima.

Karin, insegnante di educazione fisica, racconta: "Da bambina mi lasciavo influenzare molto dalle persone che mi vivevano accanto. A mio padre piaceva quando mi comportavo un po' da maschiaccio, essendo figlia unica. Di conseguenza, a me faceva stare bene farlo. Quando veniva a trovarci la nonna, però, tornavo a comportarmi da brava bambina, non riuscendomi a spiegare come avevo potuto essere tanto diversa un attimo prima. Alla nonna, infatti, piacevano le femminucce che giocavano con le bambole. Non appena se ne andava, però, la bambola finiva di nuovo in fondo al mio armadio. La situazione si complicava quando papà e nonna erano presenti contemporaneamente. In quelle occasioni ero come costretta a battere in ritirata: non sapevo più chi ero. Subito dopo sentivo un grandissimo bisogno di stare da sola. Dopo il contatto con altri dovevo prima di tutto ritrovare me stessa.

Anche se gli ipersensibili tendono ad adattarsi, dopo un certo tempo non ci riescono più del tutto: la loro vera natura si fa "fastidiosamente" scorgere per un breve momento, solitamente il meno opportuno. Ecco quindi che il senso di appartenenza conquistato con tanta fatica si perde all'improvviso. Ci si sarebbe potuti evitare tutti quegli inchini, allora! Questo piccolo errore, tuttavia, spinge molti adulti ipersensibili a cercare ancora di più di adeguarsi, fingendo di essere quello che non sono. E così si continua... Pur trattandosi di un gioco in cui si è destinati a perdere, lo si capisce solo quando ci si ritrova soli ed estraniati dalla società.

Così capitava a me un tempo. Oggi mi rendo conto di come è andata: avevo sempre cercato di corrispondere alle aspettative altrui, ma ci ero riuscito solo fino a un certo punto. Più che altro, quello che mi assicuravo in quell'assurda gara era sempre e solo il secondo posto (nella migliore delle ipotesi). Quindi perdevo ogni volta, senza contare che comportarmi in quel modo mi faceva sentire di tradire me stesso. Più avanti riuscii a rendermi conto di non aver rispettato i miei valori, che ancora avevo. Anche per quello ero sempre stato perdente. Tutto questo mi faceva sentire privo di valore e in conflitto con me stesso. La situazione cambiò quando cominciai a intravedere queste correlazioni.

Pur risultando estremamente faticoso percepire la propria persona dalle prospettive degli altri (tutte diverse tra loro), questo permette all'ipersensibile di guardarsi con un certo distacco e quindi con una maggiore oggettività. Mentre le persone meno sensibili spesso devono imparare a osservarsi attraverso lo sguardo dell'altro, noi ipersensibili dobbiamo centrarci su noi stessi e riconoscere la nostra persona e il mondo circostante con i nostri occhi. Un'ulteriore possibilità consiste nella capacità di porci in dubbio e riconoscere le nostre mancanze.

Molti ipersensibili tendono a rendersi conto con grande ritardo della difficoltà che hanno a centrarsi su se stessi. In genere, dopo che se ne sono resi conto, cambiano repentinamente il proprio modo di vedere le cose. Ormai l'ipersensibile si era adattato del tutto, era l'amico ideale, perché vedeva, sentiva, pensava e giudicava completamente dalla prospettiva dell'altro, un po' come una radio sintonizzata sul canale trasmittente. Ora, invece, abbandona questo contatto e rovina tutto. Cerca di salvare se stesso e di attenersi al proprio punto di vista.

A differenza di una prospettiva prodotta "naturalmente" dal proprio centro fisico, quest'altra nuova prospettiva adottata intenzionalmente origina dalla testa e risulta spesso teoretica, dogmatica e rigida. Mentre quella naturale, scaturita dal proprio centro, può essere facilmente condivisa dagli altri, quella adottata in modo compensatorio dall'ipersensibile risulta inaspettata e destabilizzante. Arriva, infatti, quasi sempre più tardi del previsto e a volte viene giudicata una sorta di capriccio. L'ipersensibile appare quindi un guastafeste. Tutto a un tratto i suoi tentativi di adattamento non funzionano più, dà solo fastidio. Alcuni ipersensibili rimangono bloccati all'interno di questo atteggiamento di ostinazione compensatoria.

Riepilogo

Non è l'ipersensibilità in sé a produrre conseguenze fastidiose, bensì la lotta contro la percezione di se stessi e l'adeguamento agli altri.

Dapprima si perde la percezione del proprio corpo, e con essa l'accesso ai propri bisogni. Il corpo viene percepito solo quando procura fastidio. I bisogni, pertanto, possono manifestarsi solo in ritardo attraverso sintomi e dolori fisici. In questo modo possono svilupparsi malattie che spesso si cronicizzano. Al posto del nostro corpo, noi ipersensibili percepiamo molti più stimoli esterni. Questo ci fa sentire spesso stanchi ed esausti e tale sensazione fa avvertire a sua volta ancor più intensamente gli stimoli "pericolosi". A quel punto sentiamo venir meno le energie, percepiamo meno noi stessi e ci sentiamo più deboli...

Quando non avvertiamo più il corpo e i suoi segnali, non avvertiamo più in tempo nemmeno i nostri limiti. Lo facciamo più avanti, quando in genere è ormai troppo tardi. Questo ci porta a chiedere a noi stessi sempre troppo o troppo poco, spesso alternando le due cose. Nel contatto sociale, non essendo consapevoli dei nostri limiti (e molte volte anche di quelli altrui) viviamo un conflitto dopo l'altro, a meno che non preferiamo rinunciare del tutto alle relazioni con il prossimo.

Con la perdita della percezione del corpo viene a mancare anche la capacità di controllare la correttezza e la rilevanza delle informazioni. Perdiamo l'intuizione per le questioni di nostro interesse e, di conseguenza, diventiamo sempre più dipendenti dai giudizi e dalle opinioni altrui.

A quel punto siamo costretti a registrare ed elaborare ancora più informazioni e così facendo ci allontaniamo ulteriormente dal corpo.

Alla perdita della percezione corporea è collegata anche quella della propria persona in quanto centro. Ciò equivale più o meno a dire che non siamo più in noi: viviamo noi stessi e il mondo che ci circonda non più dal nostro personale punto di vista. Ci si ritrova "fuori di sé" e si perde la propria visione della realtà. A quel punto non si può che percepire se stessi dalla posizione dell'altro. Questo porta anche a valutare la propria persona in base ai criteri altrui, differenti dai nostri, sui quali cerchiamo di orientarci: una lotta per guadagnarci la stima altrui che ovviamente siamo destinati a non vincere mai.

I tentativi di compensare la mancata focalizzazione su di sé ricorrendo a una prospettiva elaborata intenzionalmente a livello mentale risultano spesso teoretici, presuntuosi, avulsi dalla realtà e dogmatici. Noi ipersensibili, in tal caso, veniamo considerati "lunatici e capricciosi".

Circostanze aggravanti nel periodo dell'infanzia

Quali influssi risultano determinanti perché il dono dell'ipersensibilità si riveli per gli interessati un fardello o un arricchimento della loro vita? Ci sono anche ipersensibili, infatti, che fin da subito hanno modo di vivere esattamente secondo la propria natura. Non solo vengono accettati dall'ambiente circostante, ma sono anche disposti a vivere la vita appieno, in tutta la loro fisicità. Non hanno avuto motivo di sacrificare la percezione di sé e rinunciarvi per sempre.

Purtroppo, però, è molto frequente anche il caso opposto: il bambino ipersensibile si adatta e, così facendo, percepisce via via sempre meno il proprio corpo, con relativi limiti e bisogni. Cos'è che contribuisce a far sì che questo schema di percezione si rafforzi sempre più? Quali fattori potrebbero influire sul patrimonio genetico ereditato, "modificandolo"?

In una prima fase, nella quale ci si adegua all'altro, si comincia a dimenticare il proprio corpo. Si desidera sentirsi amati e apprezzati, accettati e parte del tutto. A questo si aggiungono sovente varie situazioni della vita che portano un individuo a orientare la percezione ancora di più verso l'esterno e a limitare ulteriormente quella di se stesso. Ogni volta che il bambino avverte la realtà esterna come complicata, contraddittoria o minacciosa, orienta sempre più la sua consapevolezza fuori da se stesso. Tra queste circostanze esterne rientrano episodi di violenza, aggressioni o forti tensioni dell'ambiente circostante. Un'ulteriore conseguenza sono i disturbi a livello del campo energetico del bambino, per esempio nel caso in cui abbia genitori a loro volta incapaci di percepire i propri confini e che non rispettano i suoi. Alcuni genitori, inoltre, non insegnano al figlio il distacco, oppure lo monopolizzano e lo privano di ogni libertà. Anche violenze, aggressioni sessuali e altri eventi traumatici possono provocare gravi scompensi del sistema energetico di un bambino.

Adattamento e ostilità nei confronti del corpo

Un'ulteriore complicazione per i bambini ipersensibili è un atteggiamento da parte dei genitori più orientato all'adattamento del figlio che a favorirne la crescita e l'acquisizione di responsabilità. In tal caso il bambino blocca continuamente la propria energia, per evitare di attirare l'attenzione e trasgredire una qualsiasi norma imposta senza la minima spiegazione. In questo contesto rientrano anche l'insicurezza e il pudore nei confronti della sensualità del piccolo, che proprio per la sua natura particolarmente sensibile può rivelarsi più marcata. Ogni volta che si sente bene nel proprio corpo e ne trae piacere, rischia quindi di incontrare lo sguardo contrariato dei genitori o di vederlo rivolgersi altrove.

Quando i pericoli sono in agguato

Nelle famiglie in cui sono alcolismo e aggressioni sessuali o verbali a contraddistinguere l'atmosfera di fondo, un bambino è costretto a mettersi al riparo. La forza di un bambino ipersensibile è la sua raffinata capacità percettiva, che rivolgerà verso l'esterno in modo da riuscire a fuggire in tempo alla violenza, da appianare tensioni e conflitti, da proteggere altri membri della famiglia o da sostenere il genitore in difficoltà, dal quale dipende anche il suo stesso destino. Svilupperà una grande abilità nell'individuare gli stati d'animo del prossimo.

Un trauma provocato da una violenza o un'aggressione sessuale rafforza lo schema percettivo favorendo una particolare suscettibilità, con tutti i cambiamenti personali a essa collegati. Spesso al trauma si accompagna un disturbo permanente sul piano energetico. I meccanismi energetici di protezione a livello dell'aura e dei chakra reagiscono all'evento traumatico in modo troppo modesto o in modo eccessivo e costante.

Mancanza di limiti, regole poco chiare e messaggi contraddittori

L'idea che la violenza all'interno della famiglia rappresenti un fenomeno deplorevole solo per gli emarginati non corrisponde alla realtà. Ancora più errato è credere che tra gli individui dotati di una particolare sensibilità non si riscontrino episodi di violenza: sono proprio i genitori ipersensibili a rischiare più degli altri di perdere il controllo di sé e diventare più che maneschi, proprio perché spesso non hanno la percezione di se stessi e, di conseguenza, si accorgono troppo tardi di essere andati ben oltre i limiti consentiti. A un bambino basta assistere una, due o tre volte a una simile perdita di controllo per non sentirsi più al sicuro con quella determinata persona e, magari, anche nel rapporto con gli altri. Serve ben a poco, da parte del genitore violento, adottare in seguito all'episodio un atteggiamento più riguardoso e altruista. In quel caso il pericolo di ricadute è ancora più alto.

Uta, una mia paziente sessantatreenne, racconta: "Mio padre era la persona più buona che io mi potessi immaginare, eppure a volte bastava un attimo per farmi perdere tutta la fiducia che avevo riposto in lui con gli anni: diventava manesco, mi prendeva per i capelli o mi buttava per terra. Non era semplice per me riconoscere che egli stesso soffriva di ciò e questo rendeva la situazione ancor più complicata. Provavo compassione per lui e mi sentivo in dovere di consolarlo. Mi sforzavo anche di non fargli capire quanto mi ferisse con quelle sue sfuriate".

Limiti poco chiari o del tutto assenti tra genitori e figli provocano uno stress continuo all'interno della famiglia. Allo stesso modo, i limiti artificiali e che non possono essere rispettati nemmeno da chi li ha stabiliti, catturano l'attenzione del bambino. Lo stesso accade con regole e permessi non ben definiti. L'insicurezza su cosa sia permesso e cosa sia vietato blocca ulteriormente l'attenzione del piccolo.

I messaggi contraddittori esistevano già quando io ero piccolo. Essendo un ragazzino molto sensibile e responsabile, mi era permesso fare di tutto, perché i miei genitori, anch'essi ipersensibili, non volevano limitarmi ulteriormente. Ciononostante, non erano per niente contenti quando decidevo di avvalermi di questa enorme libertà. Se, per esempio, avevo voglia di fare una gita in bicicletta, mi rivolgevano occhiate risentite, preoccupate o, all'improvviso, sembravano volerci ripensare. Mi era permesso tutto e in realtà non mi era permesso niente. Finiva sempre che preferivo restarmene a casa. A quel punto, però, loro due mi rimproveravano perché ero sempre da solo e non combinavo granché. Mi spronavano a fare qualcosa come gli altri ragazzini, per esempio una bella gita in bicicletta...

I messaggi contraddittori sono in genere richieste o indicazioni duplici e impossibili da esaudire. Soddisfacendo una parte del messaggio, si contravviene automaticamente a un'altra sua parte. Questo dilemma produce uno stress costante. Più una persona riesce a leggere tra le righe alla pari di un ipersensibile, più è in grado di individuare i messaggi contraddittori e adeguarvisi. Un bambino che più che se stesso e i propri bisogni percepisce lo stato d'animo, i problemi e gli irretimenti[1] interiori dei genitori registra i messaggi contraddittori più intensamente degli altri. Alla sua età non è in grado di trovare la soluzione dentro di sé, pertanto rivolge l'attenzione ancora di più all'esterno, scoprendo in genere solo altri messaggi contraddittori, anziché trovare chiari punti di riferimento. Spesso a produrli sono proprio i genitori ipersensibili, in genere poco centrati su se stessi e dibattuti tra una richiesta e l'altra.

Alina, un'insegnante ipersensibile di cinquantatré anni, afferma: "Da bambina desideravo tanto imparare a suonare il piano. Ci volle però un sacco di tempo prima che mia madre acconsentisse a farmi prendere lezioni, nonostante andasse ripetendo che era bene che tutti i bambini imparassero a suonare uno strumento. Lo stesso pretendeva da me, come se io mi rifiutassi di farlo, quando invece lo desideravo tanto. Sebbene mi esercitassi con piacere ed entusiasmo, le pressioni da parte sua a volte diventavano tali che mi faceva perdere tutta la voglia, quindi smettevo. Quando suonavo, a volte lei si rattristava: una volta si mise persino a piangere. Poi tornava a dire che era davvero contenta che io stessi imparando. Lei per prima non era riuscita a diventare una brava pianista: aveva cominciato troppo tardi e i suoi genitori non potevano permettersi di pagarle l'insegnante. Eppure era molto portata. Le mie lezioni di pianoforte sono finite anche loro nel nulla: mi sono bloccata allo stesso livello che aveva raggiunto lei.

Irretimenti sistemici

Non esiste migliore vittima di irretimenti sistemici di un bambino ipersensibile! I bambini dotati di una sensibilità meno spiccata sono più centrati su se stessi e non recepiscono in modo così intenso gli squilibri, le ingiustizie e i problemi nascosti dei familiari. Spesso per un bambino ipersensibile è più importante l'armonia all'interno della famiglia che il suo stesso benessere, pertanto fa dei tentativi per cercare di

---

1   Nella teoria sistemica familiare viene a crearsi un irretimento quando un individuo si fa carico di un conflitto non suo, ma appartenente a uno o più dei suoi familiari [N.d.T.].

risolvere tali situazioni. Può trattarsi di una decisione consapevole o accadere in modo "del tutto automatico".

Quando si cerca di riportare l'equilibrio all'interno di un
sistema familiare, spesso si tende ad assumere il ruolo della
vittima e dell'escluso. In tal caso, il bambino ipersensibile si
fa carico del ruolo di un escluso o un outsider: così facendo
non è obbligato a raggiungere alcun successo o a essere parte
del gruppo. Questo, però, anziché assicurargli gratitudine da
parte dei familiari, li porta a disprezzarlo, criticarlo o esclu-
derlo ancora di più.

Abuso psicologico e monopolizzazione

I bambini ipersensibili percepiscono con precisione fin dalla
più tenera età lo stato d'animo di coloro che li circondano. Si
rendono conto di come si sentono, delle loro mancanze e dei
loro bisogni. Spesso ne condividono le sofferenze. Questa capacità empatica li rende facile preda dei genitori che soffrono
della propria situazione. Un adulto con problemi può ricavare enorme sollievo dalla presenza di un figlio ipersensibile:
è più facile piangersi addosso e lamentarsi della propria situazione meschina, anziché cercare di cambiarla. Confidar-
si stabilizza la condizione sgradevole, ma spesso a discapito
di un bambino ipersensibile, che si dimostra disponibile a
essere degradato dal genitore a "cassonetto psicologico", a
"buon amico" o addirittura a sostituto del partner.

L'abuso psicologico appare allettante agli occhi di un
bambino ipersensibile: gli dà modo di dimostrare le sue doti
migliori e gli assicura una posizione privilegiata rispetto a
fratelli o sorelle meno sensibili, ma il prezzo di tutto questo
è alto. Il bambino ipersensibile si estranea dai fratelli e dai
coetanei. Non è sufficientemente spensierato per giocare insieme a loro. Si è fatto carico dei problemi che gli sono stati
confidati e per sé non ha modo di trovare alcun sollievo. A
chi potrebbe rivolgersi? Di certo non al genitore che si sta
servendo di lui!

I genitori che non sono all'altezza dei compiti che la vita pone loro di fronte, lasciano che siano i figli a risolvere i loro problemi; e sono proprio i figli ipersensibili a dimostrarsi particolarmente disposti ad accettare questa eredità. Spesso si arriva a un bizzarro scambio: anziché occuparsi delle proprie faccende, molti genitori si appropriano letteralmente dei compiti che spettano al figlio.

Tutto ciò che madri e padri hanno sacrificato (personali aspirazioni e bisogni) è un'ipoteca per i rispettivi figli. Molte volte sono proprio loro a pagare più avanti un prezzo altissimo per le "opere di bene" non richieste. Gli ipersensibili, in particolare, si rendono conto della rinuncia che è stata compiuta per loro e in genere anche delle aspettative a essa collegate.

Un altro grosso problema è quello delle "mamme chioccia" che si appropriano di tutti i compiti che spettano ai figli. Vogliono proteggere a tutti i costi il loro bambino dalle crudeltà dell'esistenza, ma alla fine non fanno che aggrapparsi a lui e a impedirne la crescita. I tentativi da parte sua di liberarsi da questo atteggiamento portano spesso le madri (quasi sempre ipersensibili loro stesse) a sentirsi offese. Un individuo ipersensibile, quindi, porta sulle spalle non solo le ipoteche dell'infanzia, ma anche i fardelli dell'indispensabile processo di liberazione, inevitabilmente collegata a sensi di colpa.

Riepilogo

La precoce esperienza dello stress costante in un clima di violenza subliminale e di aggressioni, la richiesta sempre eccessiva di risolvere problemi irrisolvibili e di soddisfare messaggi contraddittori, l'insicurezza dovuta all'assenza di regole, responsabilità e limiti ben definiti, gli irretimenti sistemici e le monopolizzazioni: queste sono le condizioni dell'infanzia di un ipersensibile, che lo portano inevitabilmente a rivolgere la percezione ancor più verso l'esterno, di quanto già non faccia, semplicemente adeguandosi agli individui meno sensibili di lui.

Potrebbe essere la situazione ormonale modificata dal costante stress nell'infanzia ad attivare o disattivare, secondo l'epigenetica il relativo patrimonio ereditario e ad accentuare ulteriormente l'indole tipica dei soggetti ipersensibili.

Ipersensibili e felici

Ho conosciuto ipersensibili che non hanno alcun problema a vivere con questa loro caratteristica: hanno avuto modo di svilupparla a vantaggio di se stessi e degli altri perché nel corso dell'infanzia percezione, corpo e limiti sono stati oggetto della loro attenzione e del loro rispetto. Questi individui sono perfettamente centrati e consapevoli di se stessi e dei propri bisogni. Ho ritenuto importante chiedermi quali fossero i fattori che contribuiscono a un simile sviluppo e qui riporto le conclusioni alle quali sono giunto.

Si rivela di vantaggio se i genitori non vedono se stessi come gli unici creatori dei propri figli e non si arrogano il diritto di esercitare su di loro un potere autoritario, caricandoli di aspettative e richieste eccessive, ma, al contrario, se riconoscono nei figli creature dotate di una propria natura e meritevoli di rispetto, con propri compiti da portare a termine e un proprio progetto di vita.

Molti degli ipersensibili felici che ho avuto modo di conoscere (anche se non tutti) provenivano da famiglie di buona cultura o da ceti sociali elevati. Emergeva chiaramente che i rispettivi genitori non si erano realizzati unicamente nel ruolo di padre e di madre, ma avevano ritenuto importante ricordare di essere anche uomini e donne e di sviluppare al massimo le proprie capacità. Era stato proprio questo ad alleggerire i figli di un peso enorme.

I figli di impiegati di ceto medio-basso sono invece spesso tra le vittime più frequenti. Nel loro caso l'educazione impartita ha puntato esclusivamente sull'adattamento, sul raggiungimento di obiettivi attraverso l'impegno e la costanza, perché "i figli dovevano avere una vita migliore". Nei ceti sociali più elevati si contano meno vittime tra i bambini, che risultano meno oppressi da carichi eccessivi. L'educazione punta (almeno nel caso ideale) allo sviluppo e all'ampliamento graduale dei propri limiti e all'assunzione di responsabilità. Adulti e bambini vivono ciascuno nel proprio mondo. Il rispetto reciproco garantisce la giusta distanza tra loro.

Il fatto che abbia incontrato ipersensibili felici soprattutto in Francia e Inghilterra [e non in Germania, patria dell'autore, N.d.R] può essere legato al particolare retaggio storico dei Tedeschi, alla lunga repressione sistematica di ogni aspetto legato alla sensibilità che ha avuto luogo in questo paese negli anni dell'impero, durante il Terzo Reich e in tempo di guerra. All'epoca della Seconda guerra mondiale, delle deportazioni, della prigionia, della miseria e della ricostruzione erano altre le qualità richieste. A questo va aggiunta una particolare insicurezza, in Germania, del modello maschile, che genera a sua volta un'insicurezza del modello femminile. Con le guerre di aggressione e il nazismo, la mascolinità si è guadagnata una cattiva reputazione, che non è mai stata controbilanciata da un'immagine costruttiva e vivibile di mascolinità. Quando la mascolinità viene messa così in dubbio, può un uomo permettersi qualcosa come una sensibilità spiccata?

Allo stesso modo, ancora oggi molte donne tedesche sembrano seguire l'immagine femminile delle donne dell'immediato dopoguerra, costrette a essere forti e a sostituire gli uomini. Anche nel loro caso la sensibilità non trova spazio, se non quando le porta a commettere sbagli, come nel caso delle mamme-chioccia.

Nelle famiglie in cui ai padri non è permesso essere uomini (e, di conseguenza, essi non si vedono rispettati) e in cui le madri non si permettono più di essere donne, non può esistere un'atmosfera di rispetto reciproco tra i genitori. Questa, tuttavia, sarebbe proprio la premessa indispensabile per un sano sviluppo della sensibilità di figli e figlie. Trovate ulteriori informazioni sulle particolari richieste rivolte a uomini e donne ipersensibili nell'Appendice del libro.

Conseguenze per i genitori di bambini ipersensibili

Oltre al patrimonio genetico, i figli ereditano dai genitori anche qualcos'altro: i loro problemi irrisolti o la loro capacità di gestire costruttivamente le sfide della vita. Partendo da questa rispettiva consapevolezza, i genitori crescono i figli, che in tal modo diventano gli eredi della chiarezza conquistata dai genitori o dei loro problemi e blocchi irrisolti. La propria crescita e lo sviluppo della consapevolezza sono quanto di meglio i genitori possano trasmettere alle generazioni future. Solo in quel caso esse sono libere di percorrere la propria strada.

Quando ci vuole coraggio: gli uomini ipersensibili

In genere si tende ad abbinare una sensibilità molto sviluppata al genere femminile: è più facile riconoscere questa caratteristica in una donna, piuttosto che in un uomo. Eppure, un ipersensibile su due è un uomo o un bambino. Fin da subito si rendono conto che la loro particolare capacità di avvertire bisogni e sensazioni fisiche, le "entità sottili", non viene molto apprezzata. Come reagisce la mamma? Ogni reazione da parte dei genitori viene registrata in modo molto preciso, così come ogni irritazione, ogni disagio e ogni ritirarsi dal contatto. Una modalità percettiva particolarmente sviluppata può significare la perdita di accettazione. Per riuscire a giocare con gli altri e sentirsi accettati, molti bambini ipersensibili si adattano ai più forti del gruppo. Spesso ricorrono a tutta la loro sensibilità per riuscire a compiacerli ed evitare di diventare il bersaglio di dispetti e critiche. Persino nel momento in cui vengono esclusi e criticati, molti di loro si identificano con i tipi più in gamba, quali vorrebbero tanto essere.

Nessun modello di mascolinità unita a sensibilità spiccata

Manca un'immagine accettabile della mascolinità. In Germania, dopo il militarismo e due sconfitte mondiali, questa mancanza è particolarmente evidente e comprensibile. A questo si aggiunge che l'educazione è esclusivo predominio delle donne. Spesso a un ragazzino che attraversa gli anni significativi del periodo scolastico non si fornisce un'immagine realistica che gli suggerisca come vivere costruttivamente la propria mascolinità. A cercare di colmare questa lacuna intervengono i media, che propongono modelli come i vari "Rambo" e altre spietate macchine da guerra.

Se non esiste un'immagine accettabile della mascolinità, ancor meno presente è un'immagine accettabile di uomo sensibile. Manca un modello costruttivo di come si possa essere uomo, ma allo stesso tempo anche dotato di una sensibilità spiccata. Gli interessati sono lasciati a se stessi: al massimo possono copiare dai padri ipersensibili l'una o l'altra qualità che apprezzano, ma in generale da loro imparano quello che è meglio evitare di fare.

È solo la nostra modalità di pensiero a ragionare in termini di opposizione. In quanto caratteristiche considerate contrarie, mascolinità e sensibilità possono coesistere nella realtà paradossale e non escludersi per forza a vicenda. È la nostra mente a stabilire che sia possibile solo un aspetto o l'altro. Da questo al distinguere solo tra pappamolla sensibili e spacconi impassibili il passo è breve. Ragionare in questi termini spinge ulteriormente i ragazzini ipersensibili a combattere questa loro caratteristica e cercare di apparire più "uomini" limitandosi a reprimerla e sacrificarla.

Invece la mascolinità può essere un'ottima base per la sensibilità spiccata: chi è forte e sa farsi valere può senza dubbio permettersela. La forza unita a una sensibilità differenziata permette senza dubbio di ottenere ottimi risultati.

Qui di seguito vi riporto alcuni esempi reali dei modi differenti in cui l'ipersensibilità può giocare un ruolo centrale nella vita di un uomo, in negativo o in positivo.

Hendrik: figura snella, ma muscolosa, piuttosto basso. Come dirigente del reparto amministrazione di un ospedale, Hendrik impiega la propria sensibilità per farsi valere e assicurarsi sempre più controllo. Essa gli è anche di aiuto per riconoscere al volo i punti deboli dei dipendenti, capire chi ha il potere e da dove vengono le decisioni. È sottoposto a stress e continue ansie che lo portano a esercitare una pressione costante sugli altri. Nella posizione che ricopre, finora è sempre riuscito trovare qualcuno più debole da utilizzare come capro espiatorio.

Da bambino ipersensibile, a un certo momento Martin si era reso conto che la madre esercitava un totale controllo su di lui agendo sul piano emotivo. Spesso bastava uno sguardo triste da parte sua per farlo sentire inerme e incapace di agire. Decise quindi di chiudere la porta a ogni tipo di sentimento ed emozione: in fondo voleva essere un "vero ometto". E da bravo ometto quale era, non voleva rendere triste la mamma e darle motivo per piangere. Era molto interessato alla tecnica e ricorreva alla sua estrema sensibilità per realizzare complicati lavori di bricolage; inoltre, si dimostrava particolarmente abile nell'individuare difetti tecnici nei vari apparecchi domestici. Più avanti cominciò a lavorare con entusiasmo e successo come ingegnere elettronico. Una donna si innamorò di lui, lo sposò e lo rese due volte padre. Lui si dimostrò un marito affidabile e generoso, capace di leggere subito dallo sguardo di lei ogni minimo desiderio. Ben presto, tuttavia, la moglie cominciò a sentire che in lui mancava qualcosa e cominciò a parlare di lui sempre più spesso come un "tontolone". Martin cercò di essere un marito e un padre ancora migliore, ma nonostante gli sforzi non riuscì a evitare che la moglie se ne andasse, assieme ai figli. Il motivo di tutto ciò gli rimase oscuro. Nel frattempo era diventato talmente bravo sul lavoro che aveva ottenuto una promozione ed era stato nominato caporeparto. A quel punto, però, anche sul piano professionale cominciarono i problemi: Martin non era capace di delegare e si faceva carico di tutto il lavoro da sbrigare. Dipendenti e colleghi cominciarono a sfruttarlo, visto che era sempre disponibile e un po' credulone. Alla fine cadde vittima di un complotto e perse il posto di lavoro.

Da bambino, Jens, oggi studente di matematica, era tenuto sotto una campana di vetro dalla madre ipersensibile e iperprotettiva, che gli stava sempre addosso. Per questo fu da subito preso di mira dai coetanei. Lui, di conseguenza si rifugiava ancora di più dalla mamma, finendo per estraniarsi ulteriormente dagli altri bambini. Il padre cercò di cambiare la situazione, ma riuscendo solo ad aggravarla. Nemmeno oggi Jens è riuscito a sottrarsi alla monopolizzazione da parte della madre. Cerca di liberarsene, ma non sa come fare, la ferisce e poi se ne pente, cerca di stabilire contatti con gli altri cercando di propiziarseli, ma proprio per questo non riesce a guadagnarsene la stima. Ogni volta viene respinto.

Gerhard proviene da una famiglia benestante e di buona cultura. Lui e i due fratelli hanno sempre avuto il loro spazio: in casa vigevano limiti, regole e messaggi ben definiti. Educazione, gentilezza e rispetto dei genitori, dei fratelli e degli altri familiari erano tenuti in grande considerazione e non considerati strumenti di facciata. Forse in altre famiglie regnava un'atmosfera più calorosa, ma in questa ogni figlio poté sempre godere di una grande stima, persino quando i genitori si separarono. Anche i fratelli di Gerhard sono ipersensibili. A tutti è stato dato il permesso di percorrere la propria strada. Oggi, uno è un musicista di successo, l'altro è un fisico e Gerhard ha rilevato l'azienda di famiglia, che ha saputo mandare avanti anche nei momenti di crisi grazie al suo fiuto e alla sua accortezza. Oltre a questo colleziona opere d'arte ed è membro di un ente benefico. La sua spiccata sensibilità e il suo spirito indipendente fanno di lui una persona con la quale è piacevole conversare, oltre che un amorevole partner e padre di famiglia.

Non danno nell'occhio: le donne ipersensibili

È più facile ammettere l'ipersensibilità in una bambina, piuttosto che in un bambino. Le donne, pertanto, hanno una maggiore possibilità di conservare tale qualità e svilupparla al meglio. Secondo la ripartizione di ruoli più tradizionale, le donne vengono apprezzate quando dimostrano di sapersi immedesimare nel prossimo, di adattarsi e di soddisfare i bisogni dell'altro con premura e dedizione. Per questi motivi le donne ipersensibili non danno particolarmente nell'occhio.

Il problema, tuttavia, sembra risiedere proprio in questo: la sensibilità spiccata è benvista quando risulta di profitto agli altri, alla famiglia o alla comunità in generale. La conferma interiore ed esteriore di tante premure non fa che rafforzare il modello di adattamento descritto. Il ruolo femminile tradizionale appare quindi dapprima come un surplus di sensibilità e di adattamento all'altro, che si paga con la perdita della propria percezione corporea. Una donna ipersensibile, all'inizio risulta perfetta per questo ruolo; più avanti, però, perde la percezione di sé, non è più in grado di prendersi cura della propria persona, chiede troppo a se stessa e supera continuamente i propri limiti, e spesso anche quelli degli altri.

Allo stesso tempo ci sono però anche donne ipersensibili in grado di rendersi conto molto bene di avere sempre la peggio. Se non vogliono fermarsi a questa amara constatazione, prima o poi in genere acquistano consapevolezza della loro stessa natura. Alcuni partner si stupiscono incredibilmente quando vengono a sapere che la loro moglie è un soggetto ipersensibile: in genere sono convinti che tutte le donne lo siano e non accettano l'idea. L'importante per loro è che la partner non cambi assolutamente, perché a loro, alla famiglia e a tutti gli altri risulta estremamente comodo, almeno per il momento...

Il prezzo del sacrificio

Le donne ipersensibili cominciano a richiamare l'attenzione solo quando quella loro qualità comincia a mostrare i lati negativi e, di conseguenza, a infastidire: tramite irritabilità, suscettibilità, sintomi, malattie, sbalzi d'umore, arrabbiature e spesso anche atteggiamenti capricciosi. Questi disturbi sono il prezzo che alla fine si è costrette a pagare per aver sempre dato ragione agli altri. A pagarlo sono le donne stesse e tutti coloro costretti a sopportare tutto ciò. L'idea che molti hanno degli ipersensibili viene influenzata sempre più da questo infelice concatenamento.

Anche alcune donne ipersensibili, tuttavia, si rifiutano di modificare il vecchio schema e di assumersi la responsabilità di se stesse e del proprio benessere. In fondo si identificano con gli eccessi più apprezzabili della loro natura, ossia con valori come generosità, disponibilità e spirito di sacrificio.

Questi eccessi mentali di altruismo deficitario trovano la loro massima espressione nell'immagine della madre disposta a sacrificarsi. Farlo implica sempre anche il superamento di limiti: quelli propri nel momento in cui si dà il massimo e di colui per il quale ci si sacrifica, che lui lo voglia o meno.

Chi si identifica con il proprio sacrificio dimentica se stesso, ignora le proprie necessità e al loro posto monopolizza quelle degli altri, si immedesima nel loro stato d'animo e lo fa proprio. Queste donne non si percepiscono in se stesse, ma solo nell'altro. E la persona che monopolizzano è pregata di comportarsi come farebbero loro e come si aspettano che faccia! Ovvio che se questa non riesce a sottrarsi a tale gioco, perde il contatto con se stessa e rimane bloccata nel conflitto tra simbiosi e monopolizzazione. In questo modo si sono già poste le basi del conflitto esterno con la vittima di questi "benevoli" assalti.

Per il momento, però, ci si eleva al nobile ruolo di vittima, per sistemare i conti c'è tempo. Poi, quando ci si rende conto di non riuscire a uscire da tale schema, si presenta il conto per tutti i sacrifici fatti, che in molti casi all'altro sono stati solo d'intralcio.

Molte donne ipersensibili sostengono di poter essere forti – per gli altri! Esternamente danno l'impressione di persone stabili e sicure. Si danno da fare per il prossimo, sono sempre a disposizione con consigli e aiuto concreto, sul lavoro danno il massimo dei risultati. Questa forza, però, spesso le abbandona proprio nel momento in cui a essere in gioco è il loro interesse. Molte volte non viene in mente a nessuno che anche loro possano aver bisogno di aiuto, per esempio quando per l'ennesima volta sono andate ben oltre i loro limiti. Si identificano nel valore della disponibilità, ma spesso non sono in grado di prestare aiuto a se stesse. In tal caso capita di frequente che precipitino in una voragine dove non c'è nessuno in grado di offrire loro soccorso e aiutarle a rialzarsi. Più rare, ma molto più sorprendenti, sono quelle donne che intendono soddisfare bisogni ed esigenze personali sempre e comunque, e si fingono particolarmente sensibili per tenere in scacco intere famiglie. Hanno imparato a utilizzare le proprie debolezze per vedere realizzati i propri bisogni. Rimane da stabilire se donne di questo tipo siano effettivamente ipersensibili o se abbiano sviluppato questa qualità solo come uno schema che garantisce il successo. Il loro gioco con gli altri dura fintantoché questi si mostrano disposti a collaborare.

Monika è divorziata e ha un figlio quattordicenne. Quando era ancora sposata, la sua preoccupazione principale era dedicarsi completamente al marito. Nel momento in cui si è resa conto che, così facendo, aveva dimenticato se stessa e ogni sua esigenza, aveva deciso di divorziare. Oggi parla male del marito e lo accusa di essere responsabile del fallimento del matrimonio. Per Monika gli uomini sono incapaci di sentimenti, mentre lei si ritiene estremamente sensibile. Quando il figlio trascorre del tempo con il padre, lei ne soffre. Oggi l'unico interesse della sua vita è il figlio, al quale si dedica totalmente. Questo, ultimamente, riscontra frequenti problemi di salute: infiammazioni alle ginocchia e frequenti incidenti sportivi. Monika non è in grado di individuare le correlazioni tra i sintomi del figlio, le proprie tendenze iperprotettive nei suoi riguardi e il proprio rifiuto verso tutto quanto appartiene all'universo maschile.

Tra adattamento e idealizzazione: i bambini ipersensibili

I bambini ipersensibili sono ottimi osservatori. Fin da piccoli assorbono ogni minima manifestazione o oggetto concreto che li circonda. Preferiscono non essere sottoposti a grossi cambiamenti, ma che tutto rimanga così come sono abituati a conoscerlo. Quando sono ancora neonati non c'è bisogno di rallegrare la loro culla con giostrine o decorazioni varie, nel timore che si annoino: molto più importante è assicurare loro affidabilità e sicurezza. Basta poco a farli sentire inondati da stimoli, e a quel punto a poco servono preoccupazioni o disperati tentativi di riportarli alla calma: molto meglio la presenza fisica di una madre, tranquilla in prima persona e in grado di trasmettere tale calma.

Se per le vacanze gli adulti sono sempre alla ricerca di novità per non rischiare di annoiarsi, un ambiente sempre nuovo rappresenta per il bambino ipersensibile una prova dura da superare, in alcuni casi tanto ardua da rovinare completamente il relax dei genitori. Spesso è solo al secondo o terzo soggiorno nello stesso agriturismo o appartamento al mare che il piccolo comincia a sentirsi a proprio agio.

I bambini ipersensibili hanno spesso bisogno di parecchio tempo per abituarsi alle nuove situazioni. Anche quando si tratta di nuovi giochi o attività sportive, sono spesso titubanti prima di decidersi a lasciarsene coinvolgere.

Thorben, padre di un bambino che, come lui, è ipersensibile, in occasione di una mia conferenza sull'ipersensibilità nell'infanzia mi raccontò della sua vacanza di dieci giorni al mare con il figlioletto di tre anni. Tutti i tentativi da parte sua di convincerlo a entrare in acqua all'inizio si erano rivelati vani: Jakob sembrava interessarsi all'acqua e alle onde, ma preferiva tenersene a distanza di sicurezza e giocare all'asciutto sulla sabbia. L'ultimo giorno, finalmente, osò immergersi: dopo una lunga osservazione il piccolo aveva evidentemente giudicato superabili gli eventuali pericoli e ora si godeva il bagno a poca distanza dalla riva. Il padre in quel momento si rallegrò di non aver ceduto alla tentazione di non rispettare i limiti del bambino e spingerlo a fare ciò che ancora non era pronto a fare: Jakob si era conquistato tutto da solo l'affascinante mondo marino!

Da un lato i bambini ipersensibili sono dei creduloni, dall'altro è impossibile fingere, con loro. Non si può, per esempio, fingersi sereni: loro percepiscono sia i conflitti aperti, sia le tensioni nascoste e soffrono di entrambi. I genitori, quindi, si trovano davanti una grande sfida: affrontare le difficoltà del loro rapporto sia in maniera autentica, sia mantenendo il rispetto reciproco, in modo da creare una vera e propria cultura del conflitto. Allo stesso modo, devono rispettare i limiti e i confini dei figli.

Ilona, che aveva seguito una mia conferenza sui bambini ipersensibili, mi raccontò la storia che segue. Nils, il suo bambino ipersensibile di sette anni, si era bruciato un dito con la fiamma di una candela. Lei era corsa subito in soccorso e gli aveva portato una pomata contro le scottature che il piccolo, però, aveva rifiutato. Ogni volta che in passato Ilona aveva cercato di imporsi, aveva ottenuto solo lacrime e litigi; quella volta si ricordò del mio discorso e, in particolare, di un passaggio nel quale sostenevo che spesso sono i genitori in buona fede a violare i confini dei figli e a occupare indebitamente uno spazio che è solo loro. "Quindi tirai il freno a mano!" Davanti al bambino piangente si limitò a porgergli la pomata, che venne rifiutata. Poi gli propose di provare a metterne un po' su un dito non scottato. Nils glielo permise e dopo essersi reso conto che non dava alcun dolore, lasciò che la madre ne spalmasse un po' sul ditino scottato, forse anche per farle un piacere. Non mi dilungo a valutare la necessità di una pomata antiscottature nel caso specifico, perché non è questo che ci interessa.

Percezione e sensazioni fisiche

Il fattore determinante per stabilire se un bambino diventerà un adulto ipersensibile è il rapporto che ha con la propria modalità percettiva. Rispettatela, pertanto, ricordando che questo non significa soddisfare per forza ogni sua richiesta o desiderio. Considerate separatamente la modalità percettiva (sulla quale non c'è alcun dubbio) dalle varie deduzioni cui può dare adito nel bambino e che possono di volta in volta essere messe in dubbio.

Manuel (otto anni) e la sua mamma forniscono un esempio di come distinguere percezione e deduzione. "Mamma, tu dici sempre che la signora Steiner è una brava vicina, molto gentile. Io l'ho osservata e ho visto come è, quando nessuno la guarda. Fa finta di essere gentile: in realtà è invidiosa e gelosa. E non sopporta nemmeno noi bambini". Il commento della madre: "Ho sentito quello che hai detto. Comunque sia, voglio che continui a essere gentile con lei!"

L'importante è favorire nel bambino un buon rapporto con il proprio corpo, in modo da contrastare l'eventuale perdita della percezione corporea conseguente ai tentativi di adattamento. La percezione del suo corpo gli permette di essere centrato su se stesso e non in balìa dell'inondazione di stimoli esterni. Un contatto fisico diretto con la materia (terra, acqua, alberi e animali) permette inoltre esperienze concrete nella scoperta del mondo e favorisce la creazione di schemi percettivi che influiscono positivamente sulla capacità di concentrazione e l'apprendimento del piccolo.

In questo contesto, per i bambini ipersensibili sono importanti soprattutto il movimento e lo sport. L'aspetto problematico delle attività sportive è solo il fatto che i bambini chiassosi, aggressivi e che vogliono sempre vincere a tutti i costi o lo stridulo fischietto dell'allenatore potrebbero rovinare un po' il piacere del gioco e spingere i soggetti ipersensibili in una posizione di difesa, dalla quale a volte non escono più.

Le attività sportive più adatte, quindi, sono quelle che includono agilità e presenza mentale. Particolarmente indicate per gli ipersensibili (bambini o adulti) sono tutte le discipline orientali, come Tai Chi, Yoga, judo, wing tsung o karate, in quanto insegnano anche a gestire al meglio le energie vitali, a essere centrati su se stessi e a indirizzare correttamente l'energia. Le arti marziali e l'autodifesa aumentano inoltre il senso di autostima e di sicurezza.

Un bambino ipersensibile ha bisogno di tempo da trascorrere da solo per rielaborare tutti gli stimoli assorbiti, che potrebbero risultargli eccessivi. Attività artistiche come disegnare, modellare la plastilina, suonare uno strumento o scrivere aiutano il bambino a focalizzarsi su se stesso e chiarirsi le idee. Sperimentando in prima persona un processo creativo imparerà a limitare quelle aspirazioni di perfezione e di "completamento dell'opera" che tanto spesso lo assillano.

"Misure educative"

I bambini ipersensibili vogliono fare tutto senza l'aiuto di nessuno, e bene. Anzi, più che bene, pertanto non smettono un attimo di tormentarsi con le loro pretese di perfezione. Sgridarli o punirli si rivelerebbe del tutto sbagliato. Al contrario, è solo grazie a comprensione e chiarezza da parte vostra che il bambino imparerà a essere un po' più indulgente con se stesso. Spesso un bambino ipersensibile rimugina all'infinito sugli errori compiuti. Si critica già così tanto da solo, che non è certo il caso di aggiungere ulteriori rimproveri. Aiutatelo piuttosto ad adottare un punto di vista oggettivo e a sviluppare il senso di autostima. Attenzione, però: non elogiatelo per qualcosa di cui lui invece non è affatto contento, perché gli trasmettereste solo la sensazione di non essere capito, non essere preso sul serio e lasciato a se stesso.

Quando tratto questo argomento nei miei seminari, a questo punto alcuni adulti mi chiedono: "Ma se togliamo dall'educazione le regole di riferimento (come alcuni genitori tendono a fare), cosa ne rimane?". Naturalmente si tratta di una questione che va ben oltre gli scopi di questo libro, pertanto non possiamo trattarla. Vi consiglio, tuttavia, di leggere sull'argomento i libri di Jesper Juul e di Jan-Uwe-Rogge riportati nei riferimenti bibliografici al termine del libro.

A influire sul comportamento del figlio non sono solo i genitori, ma anche i fratellini, gli amichetti, i compagni di scuola e persino i vari personaggi di cinema e televisione. L'uso dei media non si può impedire, ma solo controllare, anche se in essi si cela forse uno dei più grandi pericoli per i bambini ipersensibili.

Come comportarsi con il figlio e con se stessi

Dopo aver letto queste pagine sui bambini ipersensibili, sarete forse giunti alla conclusione che la maggior parte di queste osservazioni in realtà sarebbe applicabile anche a tutti gli altri bambini. Da parte mia, non posso che darvi ragione: quelli ipersensibili rendono solo particolarmente evidente ciò di cui anche gli altri hanno bisogno. Sono loro a reagire per primi in modo sensibile e intenso al metodo oggi diffuso di "allevamento di esseri umani", che sotto molti aspetti non si può certo definire "adeguato alla specie".

Per i genitori ipersensibili, un figlio con la medesima caratteristica è una vera e propria pietra di confronto, che li porta a chiedersi: "Come gestisco io adulto la mia sensibilità? Combatto in mio figlio quella parte sensibile di me che non sopporto? Lo vizio e lo cresco nella bambagia perché io stesso non sono stato in grado di vivere la mia sensibilità? Spesso sono proprio i genitori ipersensibili a caricare il figlio di un ulteriore peso, creandosi un sacco di problemi inutili.

Stefan, un ingegnere meccanico di cinquantatré anni che si era rivolto a me per un coaching, racconta: "Da bambino mi trovavo continuamente coinvolto in una guerra su due fronti. Fuori dovevo stare in guardia dagli altri bambini, con i quali non riuscivo a farmi valere. E quando arrivavo a casa, c'era l'altro fronte ad attendermi: la mamma ipersensibile. Non potevo raccontarle niente degli scontri e dei problemi con i compagni, per evitare che mi sottoponesse a ulteriori pressioni con le sue paure e i tentativi di intromettersi. Mio padre, poi, ogni volta che veniva a sapere qualcosa non arrivava mai a capire la mia situazione e mi dava sui nervi con i suoi saggi consigli. Questo mi feriva ancora di più".

La relazione con i figli ipersensibili può muoversi su un terreno pericoloso tra critica, ignoranza, tentativi vani di adattamento e una ancor più rischiosa tendenza all'idealizzazione. Anche se il bambino ipersensibile è già in grado di capire parecchio, non si dovrebbe dimenticare che è piccolo e come tale ha il diritto di essere tale e di vivere la propria infanzia. L'idealizzazione rappresenta non solo una richiesta eccessiva nei suoi confronti, ma molte volte anche un segnale del pericoloso scambio di ruolo tra genitori e figli, di una possibile monopolizzazione o di abusi psicologici. I bambini ipersensibili sono un dono per i genitori e per il mondo intero. Hanno bisogno di madri e padri capaci di fornire chiarezza, di rispettare i loro confini e di infondere loro sicurezza, in modo che possano crescere nel migliore dei modi. I bambini ipersensibili percepiscono cosa è autentico e cosa invece è un'educazione apparente; capiscono quello che gli adulti vivono di giorno in giorno. Per tutti questi motivi essi rappresentano per i genitori una continua fonte di evoluzione e di crescita.

CAPITOLO 3

Imparare a dirigere la percezione

Forse leggendo la descrizione che ho fatto delle caratteristiche degli ipersensibili vi sarete riconosciuti. E forse è capitato anche a voi ciò che è capitato a me quando ho aperto per la prima volta il libro di Elaine N. Aron. Forse anche voi avete tirato un sospiro di sollievo, perché fa bene sentirsi finalmente compresi. E forse avete visto rispecchiati voi stessi e la storia della vostra vita nella mia descrizione del processo di adattamento, che porta a far sì che dal dono dell'ipersensibilità derivi una carenza di percezione di se stessi, per quanto dolorosa possa essere. Dopo aver riconosciuto le varie correlazioni mi è venuto spontaneo pormi una domanda fondamentale: come è possibile annullare questi meccanismi dannosi?

Regole di vita dalla Svizzera

Oltre a Ernst Kretschmer (vedi Capitolo 1), un altro precursore di Elaine N. Aron nella scoperta dell'ipersensibilità è stato lo svizzero Eduard Schweingruber, pastore evangelico e psicologo. Nel 1934 uscì a Zurigo un suo breve libro, *Der sensible Mensch*, sottotitolato "Psychologische Ratschläge zu seiner Lebensführung"[1]. Schweingruber raccomandava la "rinuncia a ciò che non è proprio", una "dieta dalle esperien-

---

1   La traduzione letterale del titolo è: "La persona sensibile – Consigli di uno psicologo sul suo stile di vita". [N.d.T.]

ze", uno stile di vita sobrio e oggettivo e la dedizione a qualcosa di più grande della propria persona. Per l'arte di vivere stabilì le tre regole seguenti.

- Si dovrebbe sempre vivere "cominciando da zero": da un lato trovarsi i necessari "sfoghi", dall'altro garantirsi concentrazione e raccoglimento. In tal modo è possibile metabolizzare tutti i vari eventi, ritornando poi sempre a se stessi.

- La seconda regola prevede il fatto di mantenere il legame con lo "strato vitale primigenio". Per farlo, al sensibile sono necessari "esercizi di rilassamento" e "ginnastica per il corpo". Oltre a dormire in modo sufficiente, nello stato di veglia Schweingruber raccomanda "meditazione" e pause creative.

- La terza regola prevede di "essere rilassati e concentrati sul lavoro, nel gioco, nel rapporto con gli altri". Raggiungere un "rilassamento di fondo" costante è possibile solo mantenendosi concentrati sul qui e ora. Richiede quindi consapevolezza.

Eduard Schweingruber elabora queste regole di "autoeducazione" per una vita consapevole e serena in un'epoca non ancora caratterizzata da eccesso di informazioni, globalizzazione e costante ansia di prestazione. I suoi consigli si rivelano validi oggi come allora. Integrateli quanto più possibile nella vostra vita quotidiana. Anche io cerco sempre di trovare del tempo per schiarirmi le idee: la mia professione, a diretto contatto con gli altri, me lo rende indispensabile. Inoltre sono contento di riuscire ogni tanto a dedicarmi a esercizi di rilassamento e apprezzo la pratica costante della ginnastica. La maggior parte di noi, tuttavia, pur desiderando seguire questi consigli, si scontra ben presto con i propri limiti.

Oggigiorno siamo sempre più inondati di stimoli esterni, che richiedono di essere elaborati e spesso ci opprimono; le richieste nel settore professionale, sociale e privato aumentano costantemente, così come le aspettative che il singolo nutre in merito a se stesso, alla propria crescita, al proprio contributo alla società e alla realizzazione personale. In conseguenza di tutto questo, è sempre più arduo ritirarsi in se stessi.

Anche quest'ultima opportunità nasconde comunque un pericolo: chi segue una "dieta di esperienze" troppo rigida finisce per non essere più capace di realizzarsi professionalmente come vorrebbe e dare il meglio di sé contribuendo attivamente. In tal modo alla società vengono a mancare potenziali creativi e validi impulsi per eventuali correzioni e miglioramenti.

Il ruolo della percezione

Il fattore determinante per il quale l'ipersensibile si distingue dagli altri individui è la percezione. Noi percepiamo in modo diverso, pertanto abbiamo tutte le ragioni per occuparci in modo approfondito di questa nostra particolare dote.

Riepilogando i vari consigli di Schweingruber, ci rendiamo conto che in generale gli ipersensibili dovrebbero ridurre la quantità di stimoli percepiti mantenendosi a distanza da essi e, seguendo una "dieta di esperienze", procedere sempre alla rielaborazione, chiarificazione e rafforzamento di sé prima o dopo il contatto con il mondo esterno. Schweingruber non fornisce tuttavia indicazioni riguardanti la percezione in sé, né per il momento nel quale essa ha luogo quando incontriamo l'ambiente esterno e le sue richieste.

Per elaborare le soluzioni che ci sono indispensabili per vivere, svilupparci al meglio e offrire il nostro contributo alla società, ritengo indispensabile analizzare il processo della percezione. Per cominciare ho pensato di "osservare" me stesso. Una volta raccolte più esperienze ho potuto anche scambiare con altri le mie opinioni in merito e oggi trovo continuamente conferma delle mie scoperte da parte dei tanti partecipanti ai miei seminari e dei miei pazienti.

Percezione: qualcosa che va oltre la vista, l'udito, il tatto, il gusto e l'olfatto

Un tempo anche a me capitava così: camminare per la Königstraße di Stoccarda, visitare il Louvre, passeggiare nella City londinese (attenzione, il traffico arriva da destra!) esaurivano ogni mia energia. Quell'infinità di impulsi, stimoli, impressioni era per me pressoché impossibile da sostenere. Ero esausto, e più mi sentivo debole, più ero preda di quella grandinata di stimoli che mi faceva sentire niente di più che la vittima di un mondo crudele, sebbene ricco di bellezze che avevo voglia di ammirare.

Persino la mia prima gita in montagna si rivelò un fiasco. All'epoca, infatti, non ero ancora in grado di dosare e dirigere correttamente la mia percezione e le mie energie. Mi lasciavo incantare da quel paesaggio spettacolare e dalle bellezze invisibili intorno a me, perdevo il contatto con me stesso e cominciavo a "sanguinare" energie. Quando verso l'ora di cena facevo ritorno alla baita mi sentivo davvero male e non riuscivo a mangiare niente, pur avendo fame. Il mio plesso solare era energeticamente sottosopra.

La percezione è al centro della vita di un ipersensibile. Essa rappresenta un'enorme forza e una grande dote, ma allo stesso tempo può essere anche il suo punto debole, se non ha imparato a gestirla in maniera corretta. Ad avere problemi con la percezione sono per esempio gli ipersensibili che hanno cercato di adattarsi reprimendo la propria sensibilità.

Così facendo hanno perso la percezione e il contatto con se stessi e si sono messi in balia degli stimoli del mondo esterno.

Quando è la nostra stessa percezione a indebolirci

Il contatto con gli altri esaurisce le forze alla maggior parte degli ipersensibili. Anche un giro per le vetrine può bastare a metterci k.o.: ci fa perdere le energie. Persino all'interno di un bellissimo e affascinante paesaggio, a livello energetico può venirci a mancare l'aria, proprio come capitava a me da studente quando andavo in montagna. Analizzando più attentamente la modalità percettiva degli ipersensibili interessati, solitamente si rileva che in quei momenti stavano rivolgendo l'attenzione altrove. Mentre parlavano con un'altra persona erano tutti compresi in lei, la capivano perfettamente, vi si erano immedesimati: così facendo, avevano perso ogni contatto con se stessi. È proprio questo a indebolire.

Quando andiamo a fare shopping, noi ipersensibili percepiamo unicamente gli impulsi esterni, dai quali ci sentiamo tempestati. Più rivolgiamo la nostra percezione all'esterno, più possiamo sentirci minacciati. Questo ci porta a metterci sulla difensiva, quindi a irrigidirci e a rivolgere ancor più l'attenzione lontano da noi, al che ci sentiamo ancora più sopraffatti dagli stimoli e via dicendo... Molte volte una situazione del genere si trasforma in un vero e proprio circolo vizioso.

LA SOLUZIONE È IMPARARE AD AVERE PIÙ AUTOSTIMA?

La falla nella nave della vita degli ipersensibili che non hanno potuto vivere secondo la loro reale natura si trova esattamente in questo punto: nella percezione. Per questo ritengo fondamentale partire non tanto aumentando l'autoconsapevolezza, ma da un processo decisivo: una volta imparato a gestire in modo consapevole il proprio modo di percepire la realtà, la vita cambia radicalmente e con essa anche il nostro modo di viverla. Di conseguenza aumenta automaticamente anche l'autostima.

Percezione ed energia

L'attenzione è energia. Per questo ci fa così bene sapere di essere oggetto dell'amorevole attenzione altrui. I bambini hanno bisogno di questa energia e la richiedono in continuazione ("Mamma, guarda!") in modo del tutto spontaneo e naturale. Non ne ricevono mai abbastanza. Anche quel minimo di attenzione che si concede loro quando disturbano in continuazione è sempre meglio di niente. Per questo continuano a richiamare la nostra attenzione finché non sentono di essere stati visti e ascoltati. Agli adulti accade più o meno lo stesso. Solitamente non vengono presi sufficientemente in considerazione, sentono che i loro sforzi non riscontrano la risonanza che si meriterebbero. Quanti blocchi in determinati processi, quante crisi energetiche vissute come mancanza di senso hanno avuto all'origine un'insufficiente attenzione da parte degli altri?

Chi dirige la propria attenzione esclusivamente all'esterno perde continuamente energie e finisce per esaurirsi. Adottando questa modalità percettiva, a lungo andare ci si indebolisce. Percezione e attenzione sono la chiave per la messa a punto delle nostre energie vitali. Gestendo in maniera consapevole la nostra percezione, esercitiamo controllo sul nostro stato energetico. Per riassumere il tutto sinteticamente: possiamo imparare a rimanere in contatto con noi stessi e centrati mentre percepiamo gli stimoli esterni senza per questo perdere di vista il mondo esterno. Solo così facendo noi ipersensibili possiamo riuscire a goderci la visita al mercatino natalizio o lo shopping in centro. Il controllo sulla percezione ci permette più energia, più crescita e più gioia di vivere.

Percezione: un processo attivo vissuto come passivo

Tutti abbiamo imparato a percepire la realtà. Semplicemente, ce ne siamo dimenticati. La percezione si è trasformata in un processo automatico, che per la maggior parte delle persone avviene senza un controllo consapevole. In generale, la percezione viene considerata e vissuta come un processo passivo, anche se non è tale. La percezione è un atto attivo, che può essere modificato attraverso decisioni consapevoli.

Anziché lasciarvi influenzare da tutti gli stimoli esterni e reagire solo a essi, potete imparare a regolare la vostra modalità percettiva. Da sempre già lo fate nelle situazioni che vi chiedono di concentrarvi su determinate attività. Per farvi un esempio, ora sto scrivendo sul mio computer portatile mentre stanno ristrutturando la vecchia villa accanto a casa mia: gli operai picchiano con il martello e rimuovono il vecchio intonaco. Io registro per un istante questi rumori, ma poi riporto l'attenzione al mio lavoro. Dopo un certo tempo non li percepisco nemmeno più: l'unico rumore che sento è quello della tastiera sotto le mie dita. Non presto particolare attenzione nemmeno alla ventola del computer: la sento di nuovo solo perché ci ho pensato. Mi fermo un attimo e ascolto il ticchettio della sveglia sulla mensola, poi mi alzo, guardo fuori dalla finestra e presto attenzione ai rumori degli operai. Decido di lasciare spazio solo allo schiocco del merlo in giardino, lasciando le martellate e il rumore del trapano in secondo piano. Percepisco il mio respiro tranquillo, il bisogno di stiracchiarmi, di tendere i muscoli per poi ridistenderli completamente e, infine, inspiro ed espiro profondamente.

Per gli ipersensibili e adatto solo entro certi limiti: il concetto dell'attenzione

La lettura di queste pagine farà forse tornare in mente ad alcuni di voi il concetto di "attenzione" di Jon Kabat-Zinn[2]. Osservando soggetti ipersensibili che all'interno di una clinica di riabilitazione hanno appreso ad applicare l'attenzione alla loro modalità percettiva, ho avuto modo di constata-

---

2   J. Kabat-Zinn, *Riprendere i sensi e guarire se stessi e il mondo attraverso la consapevolezza*, TEA, Milano, 2008.

re che anziché registrare un beneficio, si ritrovavano ancora meno in grado di soddisfare le richieste della vita di tutti i giorni. Molti di loro erano diventati ancor più restii al contatto con gli altri ("Mi sono resa conto in modo davvero netto che stare con la mia migliore amica non mi fa bene"), oppure si sentivano ancora più vulnerabili di prima nei confronti del mondo esterno e si dichiaravano incapaci di guadagnarsi da vivere ("Sento che questo lavoro non fa per me e non corrisponde alla mia natura!"). Il conflitto, tipico degli ipersensibili, tra, da un lato, adattarsi e richiedere troppo da se stessi e, dall'altro, ritirarsi, chieder troppo poco da se stessi e rifugiarsi sotto una campana di vetro, può spingere ulteriormente all'attenzione: stavolta portando non ad adeguarsi di più, ma a esigere sempre meno da se stessi e a risparmiarsi al massimo. In ogni caso, si tratta sempre del vecchio conflitto.

Il concetto dell'attenzione non fa molta presa sugli ipersensibili. Prestando attenzione nel momento in cui si percepiscono stimoli fastidiosi, assieme a essi si avvertono in maniera più intensa anche le proprie reazioni sensibili. In questo modo si può generare un circolo vizioso, all'interno del quale irritabilità e sofferenza aumentano in maniera esponenziale.

Per uscire da questo dilemma non basta recuperare quella modalità percettiva per certi versi "ingenua" del corpo. Secondo me è necessario spingersi un poco oltre e arrivare a percepire il proprio corpo, ma anche la percezione stessa. Solo così si raggiungerà la consapevolezza necessaria per gestire gli stimoli, relativizzarli, controllarli e dosarli.

In questo contesto ritengo inoltre importante operare una distinzione netta tra l'azione del percepire e l'oggetto del percepire stesso. Per fare un esempio, posso senza dubbio rendermi conto che il lavoro che svolgo è faticoso e stressante, ma allo stesso tempo recarmi l'indomani comunque in ufficio perché so che devo pagare l'affitto e per il momento non ho trovato altri modi per guadagnarmi i soldi necessari.

La percezione è relativa

Trovandosi nella stessa situazione, due individui differenti non la percepiscono affatto nello stesso modo. Il cervello registra stimoli astratti e con essi crea quelle che noi chiamiamo impressioni sensoriali della realtà. Di certo non è in grado di registrare tutti gli stimoli (nemmeno quello di noi ipersensibili), considerato il loro numero: filtra semplicemente quelli che ritiene più importanti e lascia che arrivino dentro di noi. Con un altro filtro, con altre norme e criteri di valutazione emerge un quadro diverso della realtà.

La percezione non è assolutamente oggettiva. Non facciamo fatica a sopportare il rumore del tagliaerba del vicino che ci è simpatico, mentre quello del vicino odioso ci fa andare subito su tutte le furie. Ciò che alcuni percepiscono come rumore, altri lo considerano musica. La nostra percezione è influenzata dai nostri interessi e dalle nostre aspettative, dai nostri desideri, bisogni, dalle nostre conoscenze, esperienze attuali e passate, da teorie, concetti e programmi, valori e giudizi, dall'importanza che assegniamo agli stimoli registrati.

Nel corso di un seminario su come gestire in modo costruttivo le energie vitali a nostra disposizione, a un certo punto percepii una certa agitazione tra i partecipanti. Una signora mi chiese in tono lievemente aggressivo di metter fine, una buona volta, al baccano proveniente dal corridoio, che le impediva di concentrarsi su quanto stavamo dicendo. Io avevo, sì, registrato i rumori, ma senza prestarvi particolare attenzione. Alcuni bambini si erano precipitati rumorosamente nel nostro edificio per poi riversarsi tutti quanti nell'aula adiacente. Spiegai ai miei allievi che si trattava di un'iniziativa davvero lodevole: alcuni abitanti del nostro comune tenevano lezioni di tedesco ai bambini stranieri, in modo da favorirne l'integrazione nella nostra comunità e offrire loro migliori possibilità. La spiegazione rasserenò i partecipanti al seminario, che ora non si sentivano più così infastiditi dalle grida. Aggiunsi che quel "baccano" era una vera e propria espressione di gioia di vivere e di energia e che, accettandolo ed entrando in sintonia con esso, anche loro si sarebbero sentiti più vivi.

Le trappole nella propria testa

Gli stimoli mobili vengono da noi percepiti in modo più intenso rispetto a quelli statici, e più velocemente si muovono, più intensamente ci colpiscono. Chiunque di noi abbia un cane – e anche chiunque faccia jogging – sa che Fido si dimostra sempre più interessato a un corridore ("Vuole solo giocare!"), che a un vecchietto seduto sulla panchina (a meno che non stia addentando un panino alla porchetta). Allo stesso modo, il cervello percepisce nuovi stimoli in modo più preciso e netto rispetto a quelli già noti. Gli stimoli nuovi si sovrappongono a quelli abituali. Questo meccanismo ha fornito ai nostri predecessori indubbi vantaggi per la sopravvivenza, permettendo loro di individuare per tempo cambiamenti e nuovi pericoli, oltre che inaspettate fonti di nutrimento. Il cervello va addirittura alla ricerca di stimoli nuovi. Nell'epoca del surplus di informazioni e della crescita continua e sempre più rapida, questa funzione cerebrale rappresenta una trappola insidiosa, alla quale praticamente nessuno è in grado di sottrarsi. Alcuni pazienti mi raccontano che quando, alla fine della giornata, arrivano finalmente a casa, non chiedono altro se non di avere finalmente un po' di tranquillità, eppure inevitabilmente accendono il televisore, pur sapendo che alla fine servirà solo a irritarli ancor di più.

L'intensificazione inconscia di stimoli sgradevoli

Immaginate di essere nel bel mezzo di una camminata in montagna e di godervi il meraviglioso panorama delle vette innevate sullo sfondo. Respirate a pieni polmoni l'arietta frizzante, percepite la forza nei muscoli delle gambe, prestate attenzione al cinguettio degli uccelli e al suono delle campane delle mucche, seguite con lo sguardo il volo di un calabrone di fiore in fiore, addentate con gusto il vostro panino imbottito e vi godete la bella giornata nel migliore dei modi.

All'improvviso, però, tutti gli stimoli si riducono a uno solo: avvertite un dolore acuto al piede sinistro. Un unico punto dolorante, che vi costringe a fare ritorno zoppicando alla stazione della funivia.

Gli stimoli sgradevoli vengono amplificati dal nostro sistema nervoso in modo che non possano essere ignorati. L'intensificazione ci costringe a fare qualcosa per arrestare il disturbo, e questo appare del tutto logico. Ciononostante, se non si fa sufficiente attenzione, si può rischiare di rimanere bloccati all'interno di questo circolo vizioso. Non è possibile trovare una soluzione per eliminare tutti gli stimoli sgradevoli. In molti casi non abbiamo modo di agire su quelli dai quali veniamo colpiti, e più ci irritiamo per questo, più intensamente li percepiamo.

Molti ipersensibili amplificano inconsapevolmente gli stimoli dai quali sono infastiditi e dai quali cercano di difendersi. Così facendo non fanno che amplificarne l'effetto e, di conseguenza, sentono ancor più il bisogno di sottrarvisi. Riconoscere questa concatenazione può trasformare in maniera essenziale la nostra esistenza ed evitarci di sentirci circondati da una realtà contraddistinta esclusivamente da fastidi e seccature. Fondamentale è anche accettare ciò che ci disturba e che non abbiamo la possibilità di modificare. Riuscire a gestire la propria ipersensibilità richiede anche di sviluppare un atteggiamento psichico di accettazione dell'altro per quello che è, e della vita per come si presenta. Devo tuttavia riconoscere che per noi ipersensibili, con la nostra idea interiore di armonia, equilibrio e perfezione, non si tratta affatto di un'impresa da poco.

Centrati su se stessi tramite una percezione consapevole

Intraprendiamo il nostro cammino verso una migliore focalizzazione su noi stessi con un semplice esperimento.

Se provate a svolgere questo esercizio, vi renderete conto che in ogni determinato momento sono presenti molti più stimoli di quelli da voi percepiti. Avreste potuto registrarne di diversi da quelli che vi siete segnati, ma per poterli percepire avreste dovuto rinunciare agli altri. La percezione, tra le altre cose, è anche un processo selettivo. La percezione di determinati stimoli può avere luogo solo rinunciando a percepirne altri. La quantità di stimoli avvertiti in un determinato momento è limitata: secondo alcuni studi ammonterebbero a sette, più o meno due. Questo semplice fatto vale anche per i soggetti ipersensibili (anche se nel loro caso il numero può essere un po' maggiore). Ciò che importa, comunque, è che di conseguenza è possibile operare una scelta ed esercitare un controllo su quanto si percepisce.

In altre parole: se sono concentrato su questo libro, leggo il testo che ho davanti, seguo il filo logico dei miei pensieri, avverto un piacevole calore nella stanza, sento il gatto fare le fusa, avverto il suo peso sulle mie gambe e la mia respirazione profonda, può darsi che il rumore del traffico per la strada a me non dia alcun fastidio, mentre ad altri sì.

Dopo aver provato un paio di volte questo esperimento, potete iniziare ad applicare questo metodo anche una volta usciti di casa. Provate a chiedervi che effetto vi fa, ora, passeggiare per il centro, provando a ripartire l'attenzione tra stimoli esterni e stimoli interni e mantenendo parte della percezione concentrata su voi stessi. Come vi sentite a prestare contemporaneamente attenzione anche al vostro respiro, alla vostra pancia, alla forza dei vostri muscoli e alla gioia di fronte a questo invisibile, ma efficace, cambiamento? Vi renderete conto di non sentirvi più in balia degli stimoli, ma di essere in grado di scegliere su quali di loro focalizzarvi e di riuscire a dosarli un poco.

Chi non ha la percezione di sé e orienta la propria attenzione principalmente all'esterno, dal punto di vista energetico non è presente a se stesso e disperde parecchie energie. Ma non è tutto: questo individuo non è centrato. Non occupa il posto che dovrebbe all'interno della sua stessa esistenza. A livello energetico, dagli altri non viene avvertito, né di conseguenza rispettato.

ESERCIZIO

Concentratevi di nuovo su ciò che percepite in questo momento e prendetene nota.

- Cosa avete percepito con ogni singolo senso? Con la vista, l'udito, il tatto, l'olfatto e il gusto?
- Se ora provate di nuovo a chiedervi cosa percepite in questo momento, probabilmente troverete elencata una diversa combinazione di stimoli, poiché ora siete consapevoli delle altre possibilità.
- Concentratevi ancora una volta su ciò che percepite. Prendetene nota.
- Distinguete ora tra stimoli che hanno origine fuori dalla vostra persona e stimoli che avvertite dentro, in voi stessi. Cosa avete percepito di voi?
- Prestate attenzione a ciò che accade a mano a mano che vi concentrate di più sul vostro corpo. Cosa accade agli stimoli esterni?
  Nel caso incontraste difficoltà a percepire voi stessi e/o le vostre sensazioni fisiche, avrete un'idea di quali sono le vostre abitudini a livello percettivo.
- Spostate il centro della vostra attenzione al vostro interno. Cosa riuscite a percepire di voi?
- Come vi sentite nel percepire di più voi stessi?

Elisabeth racconta, nel corso di un seminario: "Da quando mi esercito a dirigere la mia percezione e sono più focalizzata su me stessa, il mio cavallo reagisce diversamente ai comandi. Finalmente mi rispetta e segue più volentieri i miei ordini. Quando al ristorante voglio ordinare, il cameriere mi presta maggiore attenzione. Persino mio figlio di otto anni mi sta ad ascoltare, quando parlo".

Essere più centrati su se stessi attraverso la percezione consapevole è la premessa fondamentale per la riuscita di altri metodi che apprenderete nel corso di questo libro e che operano a livello energetico. Esercitatevi quindi ogni giorno il più possibile, anche solo per qualche minuto, a dirigere la vostra attenzione verso l'interno, sulle sensazioni del corpo, i suoi movimenti, il suo livello di energia e via dicendo.

Forza, energia e crescita grazie ai limiti

I limiti non sono fini a se stessi. I nostri limiti e confini servono a proteggere un territorio, una zona che ci appartiene, della quale vogliamo disporre liberamente e di cui ci assumiamo la responsabilità. La delimitazione non è fondamentalmente una questione di confini, ma di territorio da difendere. I confini in senso concreto (da quelli territoriali di uno stato alla siepe del giardino) rappresentano il passaggio dal territorio di uno al territorio di un altro (o a una zona franca). Così come accade con i confini in senso concreto, lo stesso avviene con i confini in senso figurato: anch'essi segnano il passaggio dal nostro spazio personale a quello di un altro individuo o al mondo esterno. Per questo motivo i confini determinano anche il nostro rapporto con gli altri, con il mondo in generale e anche con noi stessi.

Le tensioni e i conflitti sorgono sempre lungo le linee di confine. Chi conosce i propri limiti, li percepisce, li rispetta e ha il coraggio e la forza sufficienti a segnarli e difenderli può garantirsi un'esistenza armoniosa e pacifica con gli altri e con se steso. Percepire e rispettare i nostri limiti e confini ci impedisce di chiedere troppo a noi stessi e, al contempo, ci permette di sviluppare al meglio le nostre possibilità, di evolvere e di assicurarci lo spazio che ci spetta nella nostra esistenza.

La nostra limitatezza

L'idea di essere limitati non suscita grande entusiasmo, tanto meno in un'epoca nella quale il delimitare se stessi viene confuso con il limitare le proprie potenzialità, un'epoca dominata dall'idea di possibilità illimitate e da tutte le conseguenze che essa genera: costante senso di insoddisfazione, tendenza a indebitarsi, richieste eccessive poste a se e agli altri, non essere mai nel qui e ora. All'ideologia dell'illimitatezza appartiene anche l'illusione di poter raggiungere qualsiasi traguardo se solo lo si desidera. E se non si riesce a ottenere il massimo dei risultati, significa semplicemente che non ci si è sforzati abbastanza... L'ideologia del "no-limits" serve in primo luogo a giustificare i forti e i potenti. Anche gli ipersensibili possono decidere di farla propria: spesso, infatti, la adottiamo con il risultato di acuire ulteriormente le difficoltà che già abbiamo in merito ai limiti nostri e altrui.

Ma dove si trovano esattamente questi nostri limiti? Molti ipersensibili incapaci di percepire se stessi e con l'attenzione sempre rivolta verso l'esterno non conoscono affatto i propri limiti e, di conseguenza, non sono in grado di rispettarli o difenderli dagli altri. Così facendo, spesso pretendono da se stessi troppo o troppo poco, percepiscono gli altri come invasori del proprio territorio oppure, a loro volta, invadono lo spazio altrui senza rendersene conto.

Un ipersensibile che ha rinunciato via via a percepire se stesso e il proprio corpo pur di adattarsi all'ambiente circostante, finisce per perdere anche il contatto con i propri limiti. È ovunque e in nessun luogo, mai nel proprio corpo. Di questo si rende conto solo quando è troppo tardi, quando ormai ha preteso troppo da se stesso, è andato un'altra volta oltre i limiti. In tal caso il suo corpo si fa sentire attraverso dolori e sintomi e questo a sua volta non rafforza certo il suo entusiasmo nel percepire se stesso. Percepire il corpo, tuttavia, può aiutarci a conoscere noi stessi e i nostri limiti, oltre che a rispettarli e proteggerli.

Molti ipersensibili sono animati da una sorta di ambizione interiore. La nostra ansia di perfezione e di armonia ci induce spesso ad andare oltre e ci porta a esaurire le forze ancor prima di renderci conto di cosa stiamo facendo. Questa pretesa eccessiva non è priva di conseguenze: all'improvviso compaiono dolori, sintomi o anche semplicemente un disagio generale. A quel punto siamo costretti a limitare le nostre forze, poiché ci sentiamo deboli e privi di energie. Tutto costa troppa fatica. Ecco allora che ci chiudiamo di fronte al mondo e alle sue pretese eccessive: ci ritiriamo in noi stessi, ben all'interno di quelli che fino ad allora sono stati i nostri limiti, e rinunciamo all'obiettivo che ci eravamo posti, visto che in quelle condizioni non siamo più in grado di raggiungere granché.

Per risolvere tale conflitto non basta di certo risparmiarsi, essere troppo accondiscendenti con se stessi e chiudersi in una torre d'avorio al riparo dalle ingiustizie del mondo esterno. Ancor meno utile è ignorare i propri limiti e tentare ogni volta di superarli. La soluzione non può che consistere nell'imparare a controllare se stessi in modo consapevole e responsabile, e questo non è possibile farlo senza rendersi conto del proprio stato fisico, delle energie e delle risorse che si hanno realmente a disposizione e, pertanto, dei propri limiti. *Solo attraverso la percezione di noi stessi possiamo riuscire a mantenerci forti, capaci ed efficienti.*

Il limiti non sorgono a caso

Dopo aver letto alcuni manuali sull'argomento, si potrebbe dedurre che i limiti siano qualcosa di casuale, che si può decidere di spostare a proprio piacimento. In realtà i limiti sono qualcosa di estremamente reale. I nostri limiti rispecchiano esattamente le nostre possibilità, le nostre forze: fino a che punto posso arrivare? Quanto mi fa bene lavorare ancora? A che punto mi accorgerò di aver tirato troppo la corda?

Se ci poniamo limiti troppo ristretti, indeboliamo solo noi stessi. Ci limitiamo, facciamo molto meno di quanto ci permetterebbero le nostre possibilità. Ci annoiamo. Le nostre energie non hanno modo di scorrere e noi non possiamo crescere. Se ci poniamo limiti troppo ampi, chiediamo invece troppo a noi stessi, tendiamo troppo l'arco e così facendo ci indeboliamo, con il risultato che siamo costretti a restare anche stavolta entro le nostre possibilità. La zona appena prima dei nostri limiti è pertanto la migliore. È la zona della nostra piena forma, la condizione che ci permette di dare il nostro meglio. Solo da lì possiamo ampliare i nostri limiti ed evolverci al meglio. Lungo i nostri limiti possiamo crescere, ed è proprio lì che avvengono anche fenomeni come il cosiddetto "flow", che ci permettono di progredire e fare passi avanti.

Mark ha 23 anni e studia pedagogia sociale: "A lungo ho tentato invano di farmi un po' di muscoli. In palestra andavo sempre oltre i miei limiti e poi ero costretto a stare fermo per un po' a causa di stiramenti e iperallenamento. Appena riprendevo, ecco che esageravo di nuovo. Ora mi rendo conto che con quelle pretese eccessive non facevo che sabotare me stesso".

Una crescita armoniosa può avvenire solo entro determinati limiti di sicurezza. Solo percependo i nostri limiti e rispettandoli siamo in grado di ampliarli: sia che riguardino la percezione degli stimoli, sia la resistenza allo stress psichico e fisico o le facoltà intellettuali. Solo così possiamo superare quel continuo alternarsi di richieste eccessive e insufficienti, di errata valutazione delle proprie debolezze e di illusioni di possibilità irreali.

Maria, che aveva cominciato a partecipare ai miei seminari per motivi professionali, ha potuto riscontrare alcuni positivi cambiamenti: "Da quando ho imparato a essere consapevole dei miei limiti e a rispettarli, evitando di pretendere troppo da me stessa, riesco per esempio a uscire con mio marito e a stare in mezzo alla gente senza avvertire fastidiosi sintomi come gli acufeni, cui ero spesso soggetta. In questo modo non rovino ogni volta la festa e anche mio marito ne trae beneficio. Sto attenta a non andare oltre, sono più rilassata e posso anche permettermi di più senza esagerare. Ho smesso di adeguarmi per poi apparire solo scontrosa e insoddisfatta. Ora riesco a capire in tempo ciò di cui ho bisogno. Io e mio marito litighiamo meno e siamo più felici insieme".

Potete sfruttare la vostra spiccata sensibilità proprio per questo: individuare con precisione fino a che punto vi potete spingere, percepire in anticipo quei sottili segnali che vi fanno capire dove potete ancora andare e quando invece azzardate troppo.

Il corpo conosce i limiti

La testa può immaginarsi quello che vuole riguardo ai propri limiti, può teorizzare la linea lungo la quale dovrebbero o potrebbero essere tracciati, ma in realtà non sa veramente dove si trovano. Al contrario: molte volte è proprio lei, con le sue teorie e le sue riflessioni, a spingerci a superarli ancora una volta, nonostante ci fossimo ripromessi di non farlo più. Tutte quelle frasi che contengono un "dovrei" ed esortazioni del tipo "Puoi fare anche meglio; in fondo fino a qui ci sei arrivato" o i confronti con gli altri ("Loro ce la fanno") fanno tutte parte di schemi mentali atti a sabotare i nostri limiti personali.

Anche il nostro cuore, assieme alle sue emozioni, non ci è di grande aiuto nel riconoscere e rispettare i limiti. Anzi: è proprio il cuore a spostarli oltre, a costruire ponti verso gli altri, a permettere la trascendenza, a farci provare empatia e a renderci altruisti nel migliore dei modi. Ecco quindi che alcuni si spingono troppo oltre e si sacrificano quando prestano ascolto unicamente al cuore, non importa che si tratti di un sacrificio giustificato ed eroico o inutile e assurdo, desiderato o non richiesto.

L'unico a conoscere realmente i nostri limiti è il corpo o, meglio, la nostra pancia. È lei a informarci in modo reale di quanti pesi possiamo ancora farci carico e a che punto cominciamo invece a farci male. È la pancia a farci sapere dopo quanti bocconi ci sentiamo sazi e possiamo smettere di mangiare, quanto possiamo stare seduti al computer e quando abbiamo bisogno di fare una pausa se vogliamo continuare a stare bene e a essere efficienti. Tutto questo sempre che percepiamo il nostro corpo in tempo e non solo dopo essere andati oltre, quando già stiamo male, ci bruciano gli occhi e abbiamo dolori alla schiena.

Per riconoscere i nostri limiti, rispettarli e difenderli, dobbiamo essere centrati su noi stessi. Abbiamo bisogno del costante contatto con il nostro corpo, che possiamo utilizzare come sensore. È proprio questo che non riescono a fare molti di noi, tutti gli ipersensibili che hanno rinunciato alla percezione del proprio corpo pur di adeguarsi agli altri, così da sentirsi accettati e parte di loro.

Imparare a fissare mentalmente i propri limiti

Si possono fissare i propri limiti su diversi livelli: su quello mentale, comunicativo ed energetico. I limiti sul piano comunicativo ed energetico per funzionare davvero devono essere resi noti in situazioni concrete (per esempio nel corso di un seminario). Pertanto ci concentreremo soprattutto sui limiti posti a livello mentale.

RIFLESSIONE
"MA QUESTE SONO DAVVERO LE MIE EMOZIONI?"

Emozioni e stati d'animo hanno la tendenza a diffondersi. Chi non è centrato e non sa definire i propri limiti corre il rischio di farsi carico delle emozioni e degli stati d'animo altrui. Per fissare i propri limiti a livello mentale può bastare chiedersi "Ma queste sono davvero le mie emozioni?" e provare a vedere in che altro modo ci si preferirebbe sentire. Ripetetevi più volte questa domanda nel corso della giornata. Un piccolo *Post-it* incollato in un punto strategico può aiutare a ricordarvi di farlo.

"MA QUESTI SONO DAVVERO I MIEI PENSIERI?"

Gli ipersensibili adottano spesso anche i pensieri e i punti di vista delle altre persone. Ci lasciamo influenzare dagli altri a livello mentale. Anche in questo caso si tratta di imparare a distinguere quali pensieri, punti di vista e opinioni ci appartengono veramente. Una volta chiarito bene questo, potrete confrontarvi più apertamente con posizioni, idee, interessi e atteggiamenti altrui senza perdervi, ma, anzi, ampliando grazie al confronto il vostro punto di vista e modo di pensare. Questo vi permetterà un migliore contatto con la realtà. "Ma questi sono davvero i miei pensieri? E io cosa penso?". Per alcune persone si rivela d'aiuto visualizzare i propri pensieri attribuendo a ciascuno di loro un diverso colore. Una volta consapevoli di tutto quel patchwork variopinto di idee che vi gira per la testa, sarà più facile distinguere le vostre idee da quelle che avete acquisito dall'esterno.

"MA QUESTA È DAVVERO LA MIA SENSAZIONE FISICA?"

Molti ipersensibili adottano senza saperlo e senza volerlo persino l'atteggiamento, la postura e le varie sensazioni fisiche di altri. Anche in questo caso: esercitatevi a percepire consapevolmente le sensazioni fisiche e a distinguere quelle che davvero vi appartengono e quelle alle quali potete rinunciare, poiché provengono dall'esterno.

Dosare l'empatia

Cercate anche di capire con precisione fino a che punto vi fa bene immedesimarvi con l'altro, quanta empatia vi serve per capirlo, per comprenderne la situazione e farlo sentire ascoltato e considerato, e quando invece ha inizio un'immedesimazione inutile e dannosa. È bene anche domandarsi in base a quali criteri ci si immedesima negli altri. Ci immedesimiamo solo in chi soffre? E perché non provare, qualche volta, ad adottare le sensazioni fisiche e l'atteggiamento di chi è felice, forte, sano e sicuro di sé?

Gestire bene le proprie energie

Se ci poniamo limiti troppo ristretti, indeboliamo noi stessi. Uno spazio troppo limitato ci porta a sminuirci, ci fa sentire limitati, annoiati e insoddisfatti. Quando questo accade osserviamo nostalgici l'ampio spazio là fuori che potremmo conquistare. Ma anche se ci poniamo limiti troppo ampi indeboliamo noi stessi, perché sopravvalutiamo le nostre reali possibilità. Ci sentiamo insicuri in un territorio che non siamo in grado di difendere. Inoltre, se non riusciamo a occupare e sfruttare del tutto il nostro spazio, può capitare che altri cerchino di contendercelo. Quando i nostri limiti sono troppo lontani da noi, finiscono per separarci dagli altri e isolarci.

La totale assenza di limiti ci porta a sprecare ed esaurire le energie che abbiamo a disposizione. Una realtà illimitata e possibilità infinite possono esaurirci. Solo uno spazio personale ben definito e delimitato ci assicura forze e sostegno e concentra le nostre energie.

Limiti adeguati favoriscono il nostro benessere. Solo il nostro corpo sa valutare se ci sentiamo bene o meno, pertanto è anche l'unico a poter stabilire dove sorgono i nostri limiti. La nostra testa non lo sa, e tanto meno è in grado di aiutarci il cuore. I nostri limiti sono anche lo specchio della nostra forza.

Delimitarsi attraverso l'azione

L'assenza di limiti provoca in noi ipersensibili non solo l'insorgere di quegli schemi estremamente frequenti che ci portano a sopravvalutarci o sottovalutarci, ma spesso ci porta anche ad applicare le energie nelle azioni in un modo tale da non riscontrare alcun risultato, come se andassero tutte disperse nello spazio circostante. Perdiamo quindi forze e motivazioni. Per operare in modo efficace dobbiamo limitare il nostro spazio d'azione e per questo ci sono d'aiuto le domande nelle pagine seguenti.

Quando ci si spinge troppo oltre

Quando un ipersensibile si spinge oltre i propri limiti, si trasforma radicalmente. Da un momento all'altro può tramutare la sua estrema sensibilità nel suo perfetto opposto: se prima era una persona empatica, disponibile e indulgente, comprensiva e benevola, tollerante e riguardosa, gentile e accorta, all'improvviso non lo è più. E non è che si limiti ad adottare un atteggiamento neutro: adotta addirittura quello opposto, passando dalla sensibilità estrema alla totale assenza di sensibilità. Difficilmente una persona qualunque riesce a dimostrare un tale livello di insensibilità di un ipersensibile che si è spinto troppo oltre!

Questa trasformazione drastica avviene nel momento esatto in cui un ipersensibile si rende conto, in ritardo, che i suoi limiti non sono stati rispettati, da lui stesso o da altri. A quel punto è già con le spalle al muro e non può più fare molto. È ormai allo stremo delle forze e percepisce in sé una tensione insopportabile, una rabbia nella pancia che ormai non può più ignorare, perché ha raggiunto livelli troppo elevati. Il suo punto di vista si è ristretto: ora vede solo la minaccia, riconosce nel prossimo (forse ignaro) un aggressore e un nemico.

Riflessione
Chiarezza: "Qual è il mio compito?"

Agli ipersensibili spesso riesce più facile risolvere i problemi degli altri, piuttosto che i propri. In realtà ci si dovrebbe occupare delle proprie faccende: quelle altrui non siamo obbligati a svolgerle per forza. Forse ostacolo qualcun altro o gli impedisco di svolgere da solo i suoi compiti? A chi si rivela utile il mio aiuto e a chi no? E fino a che punto? Il contributo da parte mia è stato richiesto? E fino a che punto? Forse, così facendo, finisco per distogliermi dalle mie faccende personali? Quelle non riesco a portarle a termine.

Limiti temporali: "Cosa devo fare ora?"

Spesso noi ipersensibili ci perdiamo di fronte alle infinite possibilità e ai tanti compiti da svolgere. Anziché adagiarci in sogni futuri, rimanere bloccati nel passato o cadere vittima di ansie e paure, per noi è fondamentale concentrarci sul compito che abbiamo davanti in quel momento. Porsi limiti temporali ci permette di agire in modo concreto e di crearci da soli il nostro futuro. Chi, per esempio, la domenica si mette già a pensare a tutto quello che avrà da fare il lunedì, non riesce a godersi il momento e a rilassarsi, e magari proprio per quello il giorno dopo non avrà le forze sufficienti per adempiere i propri compiti. Chiediamoci: cosa devo fare ora? E quanto tempo richiede questa mansione?

Limiti spaziali: "Qual è il compito che devo affrontare ora?"

Può persino capitare che noi ipersensibili non siamo realmente presenti a livello energetico perché non abbiamo accettato la nostra situazione. Chi non accetta il posto nel quale si trova in quel momento, non è presente da nessuna parte e non ha modo di agire. Si tratta di fissare i propri limiti anche nell'ambito in cui ci si trova, in modo da riuscire a operare da lì. Chiediamoci: qual è il compito che devo affrontare ora?

A importargli è solo una cosa: difendere la propria esistenza, riuscire a sopravvivere. Il comportamento da lui adottato risponde a questo fine: colpisce a destra e a manca, si lascia trascinare della rabbia ed esplode.

Non sempre, però, gli ipersensibili esplodono: a volte implodono. Il loro atteggiamento si trasforma anche quando l'energia accumulata non ha modo di sfogarsi all'esterno. In tal caso si prova molta amarezza, ci si sente soli, minacciati, ingannati, delusi da tutto e da tutti. Ci si trova in una condizione di stress estremo e si pensa e si agisce di conseguenza, seguendo uno schema semplicissimo: o tu o io. O bianco o nero. Chi non è con me è contro di me. Questo è il momento nel quale gli ipersensibili corrono il rischio di distruggere legami, di sbattere porte o di spezzare contatti una volta per tutte. E a volte accade proprio così: in modo del tutto silenzioso e senza che nessuno se ne accorga.

Un ipersensibile che non è in sé non percepisce se stesso e, di conseguenza, non sa riconoscere i propri limiti, non li segna e non li difende. Quando pretende troppo da se stesso, o lascia che gli altri approfittino di lui, non avverte i primi segnali di agitazione e disagio, finché arriva il momento in cui non riesce più a ignorare tutta quella situazione e allora viene sopraffatto dall'istinto di aggressione. Quest'ultimo si rende manifesto in genere come "prurito", ansia o una sensazione fisica di costrizione, che comunque, di norma, non vengono registrati per tempo.

Non stupisce di certo che dopo un simile sfogo ci si penta del proprio comportamento e ci si dimostri più comprensivi e tolleranti nei confronti degli altri: in fondo si vorrebbe tanto riparare ai danni commessi. Spesso, tuttavia, si finisce per perdere ancor più il contatto con sé e difendere ancora meno i propri limiti. Più ci si sforza di recuperare la situazione, più si corre il pericolo di perderne un'altra volta il controllo.

ESERCIZIO

Solitamente seguiamo uno schema personale ogni qual volta non vediamo rispettati i nostri limiti da noi stessi o da altri. Analizzate attentamente la vostra reazione rievocando una situazione concreta.

- In quale momento vi siete resi conto che i vostri limiti sono stati superati?
- Da cosa ve ne siete accorti?
- Cosa avete percepito prima di quel momento?
- Cosa avete pensato prima di quel momento?
- Con quale atteggiamento lo avete pensato?
- Quali emozioni avete provato prima di quel momento?
- Quali sensazioni fisiche avete avvertito prima di quel momento?

Provate a "riavvolgere un poco il nastro" e a concentrarvi su tutto ciò che è accaduto prima.

- Da quali segnali avreste potuto accorgervi già da prima che stavate andando oltre? Si tratta di pensieri? Emozioni? Segnali fisici?
- Come avete reagito esattamente? Siete implosi o esplosi? Vi siete chiusi in voi stessi o siete diventati aggressivi?
- Cosa avete pensato un attimo dopo? E con quale atteggiamento?
- Come vi siete sentiti in quel momento? La sensazione era anche legata a sintomi fisici?
- Il fatto che i limiti non siano stati rispettati vi ha fatto stare male?
- Quali "danni collaterali" sono stati riscontrati? Chi hanno interessato? Altri? In cosa consiste il danno? Quale danno avete riportato voi stessi?
- Confrontate i danni.
- Come vi siete comportati dopo questa violazione dei limiti?

- Vi siete chiusi in voi stessi? Avete interrotto i contatti? Vi siete messi sulla difensiva? Vi siete lamentati? Prestate più attenzione di prima?

- Cos'ha provocato o reso possibile la violazione dei limiti?

- È avvenuta intenzionalmente? Hanno voluto attaccarvi o farvi del male? È dipeso tutto da un malinteso o un erro-re di comunicazione? Forse prima che avvenisse non avete dato alcun segnale o forse solo segnali sbagliati?

- Come pensate di comportarvi in futuro?

- A cosa dovrete prestare particolare attenzione? Come po-tete segnare e difendere i vostri limiti? E come vi compor-terete qualora doveste accorgervi che siete stati voi stessi a non rispettarli?

Il modo di gestire i limiti si eredita dalla famiglia

Nelle famiglie di bambini ipersensibili in genere è presente almeno un genitore ipersensibile (nel mio caso erano due). Solo in casi rari i genitori ipersensibili sono in grado di ge-stire i propri limiti in modo opportuno. Anche loro, come la maggior parte degli ipersensibili, si sono spesso adattati alle persone del loro ambiente non dotate della loro stessa delicata natura. Anche loro non erano centrati su sé stessi, né in contatto con il corpo. Ancora oggi non percepiscono né quest'ultimo, né i propri limiti, tanto che in passato si sono accorti troppo tardi di quando non sono stati rispettati.

Quando vediamo che gli altri non rispettano i nostri li-miti proviamo una sensazione di disagio. Proviamo ansia e irritazione, ci facciamo prendere dallo stress e ci sentiamo sotto pressione. Diventiamo aggressivi. Meno percepiamo noi stessi e non siamo in contatto con il nostro corpo, meno ce ne accorgiamo, in un primo momento. Siamo costretti a riconoscerlo solo quando questo "accumulo energetico" non si può più ignorare, oppure solo quando – con nostra grande sorpresa – si sta già scaricando da solo. Ci lasciamo prende-

re dall'ira e facciamo sfuriate. Esplodiamo. E quando non
ci permettiamo nemmeno questo, allora implodiamo. Irrigi-
diamo ogni nostro muscolo e, a quel punto, ecco comparire
sintomi patologici e dolori.

Thomas, conosciuto da tutti per essere un papà estremamente affettuoso
e paziente, ha assistito per ore ai capricci dei figli con estrema pacatezza,
ma ora non ce la fa davvero più: afferra il posacenere e lo lancia nella loro
direzione, frantumandolo. Scoppia in urla selvagge, grida che è arrivato al
limite e vuole finalmente un po' di calma, e riesce per miracolo a tratte-
nersi dal diventare manesco. I suoi bambini lo osservano a bocca aperta e
sbalorditi. Non capiscono più niente. Indietreggiano e non sanno più cosa
fare. Il gioco è finito, almeno per oggi...

Antonia, di ritorno dal lavoro, ha portato dei biscotti ai suoi tre figli. Dopo
una giornata stressante, vederli mettersi a litigare adesso è davvero troppo
per lei. Riprende la sua espressione severa e loro capiscono che la mamma
ipersensibile per oggi non parlerà più con loro. Antonia si chiude in sé. I
figli si sentono in colpa e i biscotti non li tocca più nessuno.

Padri e madri ipersensibili rischiano molto più di altri
genitori di sopravvalutare se stessi e di abusare delle proprie
forze, magari spinti da buone intenzioni. Non percepiscono
se stessi, non registrano per tempo i propri bisogni, ignorano i propri limiti e permettono ai figli di superarli. Quando
questo accade, non si rendono nemmeno conto che non sono
i figli a violarli, ma loro stessi a permettere loro di farlo. Non
sanno che i bambini, alla ricerca dei propri personali limiti
e di un rapporto autentico, si spingono fino al punto in cui
percepiscono segnali chiari da parte dei genitori.

I nostri limiti ci fanno crescere

Chi da bambino ipersensibile cresce all'interno di limiti non
ben definiti li abbina automaticamente a qualcosa di estremamente sgradevole, collegato a violenza reale o minaccia-

ta, oppure al timore di una violenza ancor più pericolosa, quella psicologica, come vedersi privati dell'affetto, ignorati o denigrati. Esperienze di questo tipo lasciano in ogni bambino segni incancellabili. Su quelli ipersensibili, già non certo favoriti nel "parco giochi" della vita, dove il più forte la fa da padrone, le conseguenze sono spesso devastanti. Si vedono privati di quello che forse è il loro ultimo sostegno e appare comprensibile, poi, che una volta cresciuti di limiti non vogliano più sentir parlare. Sono seriamente intenzionati a non ripetere quello che hanno fatto i loro genitori e, di conseguenza, spesso si dimostrano ancor più tolleranti e accondiscendenti. È proprio muniti di queste buone intenzioni che molte volte finiscono per andare oltre le loro reali forze e possibilità.

Chi da bambino non ha conosciuto limiti chiari e definiti non ha nemmeno avuto modo di imparare a difendere il proprio spazio. Non sa quali forze ha davvero a disposizione, né fino a che punto si estende la sua responsabilità. Quando si vedrà rivolgere una richiesta concreta, si immaginerà poteri superiori o inferiori rispetto a quelli che realmente ha. Non sentendosi dentro di sé protetto da limiti ben definiti, non può nemmeno cercare di ampliarli assieme alle proprie forze e crescere assieme a loro.

I limiti permettono di incontrare l'altro

Chi da bambino non ha avuto modo di sperimentare limiti chiari e definiti non ha nemmeno potuto scoprire che i limiti trasmettono sicurezza e garantiscono pace e armonia. Non sa che sono proprio i limiti di una persona a permetterle di conoscere se stessa e diventare concreta e tangibile rispetto a un'altra. Non sa neppure che solo limiti ben definiti permettono di incontrare l'altro.

Molto spesso noi ipersensibili siamo ciechi davanti ai limiti. Non conosciamo i nostri e, conseguentemente, non possiamo difenderli e farli valere. Allo stesso modo, non abbiamo esperienza alcuna nel trattare i limiti altrui. Può quindi capitare che per eccesso di riguardo e rispetto ci manteniamo troppo a distanza dall'altro e impediamo lo scambio, rendiamo impossibile l'incontro. Non ci si incontra con il vicino di casa davanti alla siepe del giardino, ma ci si limita a salutarlo con la mano da lontano. Può però anche capitare che un ipersensibile senza alcuna idea dei limiti si spinga allegramente oltre di essi, si appropri in buona fede e munito delle migliori intenzioni dello spazio dell'altro, lo monopolizzi o finisca per calpestare i fiori che questo ha appena piantato proprio sul punto in cui ha seppellito il suo vecchio cane.

Noi ipersensibili accusiamo spesso gli altri di non tenersi a debita distanza, ma a volte noi facciamo esattamente lo stesso: violiamo sia i nostri limiti, sia quelli degli altri, sempre a causa di una modalità percettiva deviata e spesso convinti di fare del bene. Di frequente tendiamo a giustificare o a idealizzare la mancanza di limiti.

Due anni fa ebbi una piccola ricaduta e io stesso mi trasformai, in buona fede, in una persona che non rispetta i limiti altrui. Probabilmente vi contribuirono il lungo viaggio in auto con un ingorgo di un'ora e una piacevole cenetta accompagnata da due o tre bicchieri di vino. La questione è la seguente: già da parecchio tempo ero stato invitato a cena da una coppia di amici musicisti e finalmente si era prospettata l'occasione. Quando, una volta a tavola, scoprii che i due erano nel bel mezzo delle prove di una tournée e si erano fatti in quattro per ritagliarsi quella serata libera, mi sentii in dovere di rendermi utile. Vidi respinta due volte la mia proposta di aiutare a sparecchiare la tavola e di lavare i piatti, ma non mi arresi. Ma quando mi accorsi dello stato in cui era ridotta la cucina (non riuscivo a trovare nemmeno uno spazio dove appoggiare i piatti sporchi), mi resi improvvisamente conto di essermi spinto troppo oltre.

Intuire i propri limiti

Se il mio limite definisce esattamente lo spazio entro il quale mi sento al sicuro e ho modo di espandermi ed evolvermi al meglio, quello è il punto in cui mi trovo al massimo delle forze e del benessere. Posso quindi intuire il mio limite laddove la mia percezione fisica si trasforma da molto gradevole a sempre più sgradevole.

Il limite tra due individui è quel punto entro il quale entrambi si sentono a loro agio. Spesso si arriva a individuare questo spazio solo dopo ripetuti tentativi. Una sensibilità spiccata può aiutare a trovare la misura ottimale tra vicinanza e distanza.

Esercizio

Com'è il detto? "Proprio sul più bello, è il momento di smettere". Un altro boccone e improvvisamente il cibo non è più così gustoso, non ci procura più così tanto piacere. È proprio in quel punto che si è raggiunto il limite. Spesso abbiamo perso questa capacità di avvertirlo a livello fisico a causa dell'educazione. Approfittate delle situazioni quotidiane per esercitarvi a individuare il punto nel quale il gradevole si trasforma in sgradevole, in modo da essere sempre più in grado di dire "Stop!" una volta raggiunto.

I limiti e i confini tra gli individui permettono il contatto. Se sappiamo tracciare i nostri, non saremo costretti continuamente a chiuderci in noi stessi, a sacrificare sempre più il nostro spazio, a farci ferire o monopolizzare ed eviteremo anche a noi di fare lo stesso agli altri. Non avremo bisogno di innalzare muri che ci separino dagli altri e non saremo nemmeno più tentati di ricorrere a rimedi estremi (rompere il contatto) per proteggere noi stessi.

Sempre i limiti, inoltre, ci permettono di percepire l'altro: rappresentano le linee di demarcazione e di protezione della sua alterità. A nostra volta, senza i nostri limiti non risultiamo tangibili agli altri, appaiamo loro qualcosa di vago, di non ben definito. È quello che capita a molti ipersensibili: non si riesce a conoscerli davvero e di conseguenza non ci si accorge di loro.

Svenja, giovane bibliotecaria, nel precedente seminario si era lamentata dell'incapacità di far valere i propri limiti di fronte ai genitori anziani: "Sto facendo progressi. L'ultima volta che sono andata a trovarli, ho annunciato appena arrivata che mi sarei fermata solo per il caffè. Nel farlo, ero ben presente a me stessa. Non ho nemmeno addotto giustificazioni. Mi sono stupita che, seppure dispiaciuti, i miei abbiano accettato la cosa e questo mi ha fatto sentire molto più distesa del solito. Invano ho atteso i tentativi da parte loro per convincermi a restare. Quando è arrivato il momento di andarmene, ho avvertito una parte di me che sarebbe rimasta volentieri e della quale fino ad allora non mi ero mai resa conto. In ogni caso, me ne sono andata come previsto. Tutto è andato bene. Per la prima volta dopo anni, al momento di tornare a casa avevo già voglia di tornare a trovarli. Ho saputo individuare e far valere il mio limite che, stranamente, nel momento in cui mi sono dimostrata così sicura di me stessa, è stato accettato senza problemi anche dai miei genitori. A quel punto sarei persino rimasta da loro un altro po', ma ho deciso che lo farò la prossima volta. Forse. Se filerà ancora tutto così liscio".

I ladri di energie: spesso sono solo i briganti delle favole!

Spesso molti ipersensibili si lamentano del fatto che il contatto con gli altri ha ancora una volta esaurito loro ogni energia. Per questo alcuni tendono a evitare sempre più i contatti e, se non prestano attenzione, finiscono per ritrovarsi isolati socialmente. Alla fine siamo proprio noi ipersensibili a soffrirne le conseguenze. Tendiamo, infatti, a dimenticare che nell'isolamento non abbiamo modo di ricaricare le energie attraverso la risonanza con l'altro e, pertanto, ci limitiamo a vegetare su un livello energetico impostato al minimo.

Può capitare che, dopo un contatto con l'altro che ci ha richiesto un certo dispiego di energie, consideriamo quell'individuo responsabile del nostro indebolimento. Tendiamo quindi a definirlo un "ladro di energia", una sorta di vampiro, e da quel momento cerchiamo di evitarlo. La causa del nostro stato, tuttavia, come in molti altri casi non dipende da un solo elemento, ma da molteplici fattori, che spesso si rivelano del tutto diversi da quelli da noi immaginati: sono la mancata percezione di sé e il non essere centrati su noi stessi a trasformare ogni incontro in una "emorragia" di energie. Nel dialogo con l'altro, molti ipersensibili sono completamente centrati su di lui a livello sensoriale, percettivo ed energetico. Gli riversano addosso tutte le loro energie, ovviamente senza rendersene conto. L'altro può accogliere di buon grado questo dono, ma può anche nascere in lui la spinta a rifiutarlo.

Risulta chiaramente molto più facile accusare gli altri di essere ladri di energie, piuttosto che decidersi di assumersi le proprie responsabilità e cominciare a prestare attenzione a non esaurire le risorse. Un furto, di norma, prevede sempre due figure: quella che permette che avvenga, o addirittura lo favorisce, e quella che si lascia facilmente tentare e coglie l'occasione al volo. Certo, esistono anche persone seriamente intenzionate ad assorbire quante più energie possibili all'altro, ma in genere non sanno assolutamente gestirle e vivono in una sorta di ingenuità infantile. Gli ipersensibili non centrati su se stessi e non in grado di definire i propri limiti esercitano ovviamente su queste persone un richiamo particolare. In altre parole: *chi impara a essere centrato su se stesso e sempre più consapevole delle proprie percezioni attira piano piano persone completamente diverse da quelle che attirava prima.*

I presupposti per fissare i propri limiti

Cosa ci serve per arrivare passo dopo passo a imparare a fissare i nostri limiti in maniera adeguata?

Essere centrati su se stessi

Il presupposto fondamentale per delimitarsi in modo efficace è essere consapevoli di se stessi e percepirsi a livello fisico.

Chi non è centrato su di sé può delimitarsi finché vuole, ma alla fine non farà che escludersi. È per questo motivo che molte delle tecniche pubblicizzate per definire i propri limiti non si rivelano efficaci, una volta applicate a situazioni concrete. In altre parole: centratevi prima di tutto su voi stessi attraverso la percezione e ricoprite la vostra posizione.

Esercizio

Chiedetevi, di tanto in tanto, nel corso della giornata, "Dove mi trovo in questo momento con la mia percezione?". Percepite ancora voi stessi? Riuscite a essere presenti a voi stessi e all'attività che state svolgendo in quel preciso momento? E come vi fa sentire quel contatto? Riuscite a continuare a percepirlo anche se vi mettete a parlare con qualcun altro oppure vi lasciate completamente assorbire dal vostro interlocutore? Riuscite a ripartire l'attenzione? Continuando a percepire voi stessi disperdete meno energie nell'incontro con l'altro, riuscite a difendere meglio la vostra posizione e diventate un prezioso partner di dialogo, rendendo possibile il confronto.

Capacità di affrontare i conflitti

Chi vuole imporre dei limiti ad altri deve essere disposto e in grado di farlo in prima persona, facendosi valere. Con un "No!" o un "Adesso basta!", magari espressi in formule più eleganti, ci rendiamo subito poco graditi e, magari, subito dopo ci ritroviamo privati dell'approvazione altrui. A rischio di non sentirci più amati, dobbiamo comunque essere pronti a difendere i nostri limiti dalle pretese altrui. Riuscirci rappresenta spesso per noi ipersensibili una sfida enorme, proprio perché sappiamo comprendere molto bene l'altro e le sue richieste. Chi riesce a superare tutto questo, tuttavia, riesce anche a guadagnarsi la stima e il rispetto altrui.

Autostima e amor proprio

Chi ama se stesso è più in grado di rinunciare all'approvazione dell'altro. È sicuro di se e pronto a soddisfare le proprie esigenze. Accetta se stesso e, di conseguenza, le personali capacità, carenze e limitatezze. In genere le persone di questo tipo hanno anche un buon rapporto con la propria fisicità. Focalizzandoci su noi stessi e prestando attenzione alla nostra percezione, diventiamo consapevoli di noi nella posizione che occupiamo e, così facendo, riusciamo anche ad avere maggiore autostima.

Capacità di comunicazione

Più abili siamo nell'esprimerci con le parole, il linguaggio del corpo e i gesti, più facilmente possiamo delimitare noi stessi. Quando sarà il momento di farlo, sapremo reagire in maniera differenziata e dosando le energie. Sapremo comunicare fin da subito i nostri limiti, in modo che l'altro possa riconoscerli e rispettarli.

Dolori, sintomi, malattie: quando il corpo si fa sentire

Gli ipersensibili che si sono adattati ad assorbire un numero maggiore di stimoli più che a percepire se stessi hanno perso prima di tutto il rapporto con il proprio corpo. Sotto certi aspetti sono privi di fisicità e non radicati. Spesso percepiscono il corpo solo come una fastidiosa appendice di sé. Alcuni cercano di giustificare questa loro mancanza di fisicità rifugiandosi in teorie e convinzioni che vedono nel corpo qualcosa di deprecabile.

È incredibile quanti ipersensibili provino la sensazione di non aver mai accettato del tutto il proprio corpo, quasi rifiutassero da sempre di essersi incarnati. Spesso combattono ancora per riuscire a entrare in comunicazione con il corpo e, tramite esso, con la vita su questa terra. La scoperta e l'accettazione della fisicità vengono vissute come un grande cambiamento, come impulso ad accettare finalmente la vita per quello che è e a organizzarla attivamente.

Anche gli ipersensibili che non hanno percezione di sé, in ogni caso, non vivono certo senza il corpo. Ignorato troppo a lungo, questo riesce a procurarsi la loro attenzione attraverso dolori e sintomi. E questo accade sempre quando un ipersensibile non centrato su se stesso supera per l'ennesima volta i suoi limiti. Il corpo obbliga a fermarsi, intralcia i nostri piani e ci fa fare i conti con la situazione. Ovviamente il tutto porta a peggiorare il proprio rapporto con il corpo, che si finisce per amare ancora di meno, visto che appare unicamente come fonte di dolori e sofferenze.

Ricominciare da capo a conoscere il proprio corpo

Anche a me un tempo capitava così: come tanti altri ipersensibili percepivo il mio corpo solo quando stavo male. Dobbiamo tuttavia riconoscere che, così facendo, viviamo la fisicità unicamente come qualcosa di debole e di decrepito: la gamba dolorante, la schiena irrigidita, gli occhi stanchi, il senso di oppressione allo stomaco, la pesantezza del corpo, la stanchezza e l'irritabilità... l'elenco potrebbe proseguire all'infinito. Appare evidente che qui manca la percezione del corpo come fonte di vitalità, gioia, come sensore di benessere e di piacere.

Si avverte la gamba dolorante, le si rivolge tutta l'attenzione di cui si è capaci e, una volta, guarita, non ci si accorge più nemmeno che esista. Si percepiscono le debolezze e si ignorano le forze, anch'esse presenti. Attraverso la percezione scegliamo sempre tra i vari stimoli quelli che rispondono alle nostre convinzioni e li utilizziamo per crearci la nostra immagine della realtà in cui viviamo. Spesso selezioniamo

stimoli fastidiosi che non possiamo più ignorare e ci vediamo deboli, circondati da un mondo contraddistinto solo da
dolore e sofferenza. Non ci concediamo nemmeno l'idea che
ci si possa anche sentire sani e forti e così facendo indeboliamo noi stessi e rafforziamo invece dolori, sintomi e malattie,
assieme al concetto di base che ci ha portato a scegliere determinati stimoli.

Esercizio: percepire la vitalità

Passate in rassegna lentamente ogni parte del vostro corpo, con-
centrandovi su ciò che percepite. Cominciate dai piedi o, ancora
meglio, dalla pianta dei piedi, poi risalite piano piano. Percepite
tutto ciò che c'è in voi di sano. Sentite la vitalità e l'energia. Registrate l'interazione dalla quale risulta la vostra salute.

Cercate anche di capire se notate i cambiamenti che avvengono
nel vostro corpo solo per il fatto che gli state rivolgendo attenzione. Attraverso la percezione fisica avete inoltre la possibilità
di effettuare piccole correzioni: forse desiderate respirare più a
fondo, sedervi più diritti, abbandonare le tensioni o avvertite
sete o il bisogno di muovervi?

Imparando a percepirvi in questo modo, cambiate il rapporto con voi stessi. Acquistate maggiore tranquillità, perché gli
stimoli esterni vengono esclusi, voi siete presenti a voi stessi e
centrati. Avvertite i vostri bisogni e potete quindi soddisfarli
meglio. Diventate autoconsapevoli e vi assumete la responsabilità di voi e del vostro benessere.

Prendete l'abitudine di passare regolarmente in rassegna
il vostro corpo e di percepire tutto ciò che in lui c'è di sano.
Finalmente concederete un biscottino a quell'animaletto abi-
tudinario che c'è in voi e sarà un piacere che non vi costerà
nulla (sempre che non preferisca mangiare solo quello che
già conosce). Percepite il vostro respiro, il pulsare del sangue
nelle vene, il calore, la tensione dei muscoli, la forza che sale

e che vi permette la posizione eretta, la gioia che nasce dal fluire dell'energia. Potete riconoscere la meraviglia del vostro corpo, riporre fiducia nel suo funzionamento e nella sua saggezza ed essergli riconoscente. O forse preferite occuparvi di lui solo nel momento in cui rimpiangete lo stato di salute? È anche l'atteggiamento positivo da parte vostra a mantenere sano il vostro corpo!

Non si tratta, tuttavia, di sostituire semplicemente una modalità di pensiero e di percezione negativa con una positiva, illudendosi che tutto vada bene e nascondendo i problemi sotto il tappeto. Al contrario, è importante rilevare i punti deboli del proprio fisico così come i punti di forza, in modo da poter prendere le misure necessarie per mantenerlo nello stato migliore.

Quanto influiscono le richieste eccessive e le richieste insufficienti

L'aspirazione di perfezione e la mancata fiducia nelle nostre possibilità contrapposte alla tendenza a percepire il corpo solo in quanto debole e bisognoso di cure generano spesso un conflitto fatale che porta molti degli interessati a un vero e proprio dilemma.

La parte esigente di sé ci sprona di continuo e ci spinge a chiedere troppo a noi stessi. Anche questo ci fa sentire deboli e bisognosi di fermarci, ritirarci in noi stessi e riposarci. Mentre lo stiamo facendo, tuttavia, la nostra parte esigente torna a farsi sentire e a chiedere di più, tanto che finiamo un'altra volta per andare oltre le nostre possibilità. Quando i limiti continuano a non essere rispettati, il corpo si procura da solo una "pausa" attraverso sintomi e malattie. A quel punto siamo costretti a concederci il riposo, anche se irrimediabilmente, dopo un po', l'altra parte di noi comincia di nuovo ad avanzare pretese... Si tratta di un vero e proprio circolo vizioso, che può portare al crollo psicofisico e al burn-out.

Constanze, ex-capo designer nel settore della moda, racconta: "Nel mio precedente luogo di lavoro finivo sempre per ammalarmi. Chiedevo troppo a me stessa. Oggi, però, so che non ero esattamente io a pretendere da me tutto questo: era come se avessi raccolto tutte le varie richieste nei miei confronti da parte di tutti coloro che mi lavoravano accanto e poi le avessi sommate. Non mi chiedevo mai fino a che punto ero in grado di dare e cosa mi venisse effettivamente chiesto. E quando ormai avevo superato il limite, compariva inevitabilmente l'emicrania, che mi costringeva a smettere di lavorare e riposare. Una volta ripresa, tuttavia, mi ritrovavo una mole enorme di lavoro da sbrigare e non volevo mai delegare niente ai colleghi, perché ero convinta che non fossero in grado e per non ricorrere all'aiuto altrui. Poco tempo dopo ero già sommersa dal caos. Stavo ben attenta che nessuno se ne accorgesse, ma ero assillata dai rimorsi di coscienza, per cui crollavo. L'emicrania tornava a farsi sentire e mi costringeva a fermarmi un'altra volta. Tutto questo alternarsi tra pretendere troppo da me stessa e sentirmi male mi ha quasi distrutta". Io stesso avrei potuto raccontarvi una storia simile del periodo in cui lavoravo come redattore.

A tenere in vita il conflitto è la nostra incapacità di riconoscere la correlazione tra pretese eccessive e bisogno di riposo. Solitamente il conflitto tende a farsi via via più acuto. Si utilizzano sempre più energie per appianare le tensioni, senza tuttavia riuscirvi. Questo porta gli interessati a ritrovarsi privi di forze, tanto che a quel punto possono comparire i sintomi, in molti casi con la tendenza a cronicizzarsi: può trattarsi di tensione muscolare o di emicrania, di problemi gastrointestinali o di acufeni, di disturbi alla vescica, di tendenza ai raffreddamenti o alla fibromialgia... e via dicendo.

Ovviamente in questi casi non si può evitare di ricorrere al medico e farsi prescrivere le cure del caso, ma non è detto che si riesca ad arrivare alla radice del problema. Senza conoscerne le reali cause alla base, spesso la cura finisce per diventare parte di quel circolo vizioso che ci porta a pretendere troppo o troppo poco da noi stessi.

Del resto non ha alcun senso immaginarsi una via di mezzo tra questi due poli. Il conflitto interiore non si risolve con la testa: in fondo è proprio la mente ad aver generato questo dilemma e a riproporlo di continuo.

La soluzione consiste nel riuscire finalmente a percepire il corpo in un modo diverso. Ormai sappiamo che questo è proprio il punto debole degli ipersensibili ormai adattatisi al mondo esterno, che non percepiscono i loro bisogni, le loro vere possibilità e i loro limiti. Ed è proprio questo che sintomi, dolori e malattie croniche cercano di aiutarci a fare, non importa che si tratti di acufeni, tensioni muscolari, emicrania o tendenza ai raffreddamenti: sono tutti lì a segnalarci che i limiti non sono stati rispettati! Ogni volta che gli ipersensibili si spingono troppo in là, entrano in un conflitto: i fastidi all'orecchio costringono a ritirarsi, la reazione della vescica obbliga irrimediabilmente ad abbandonare quella situazione ormai insostenibile. E con il tempo questi sintomi si fanno sentire sempre più di frequente, già nel momento in cui ci si sta per avvicinare al limite. Se all'inizio ci rendono consapevoli dei nostri limiti, con il passare del tempo ce li avvicinano sempre più. I sintomi cronici finiscono per determinare sempre più la nostra esistenza, limitandola.

In generale non si tratta tanto di interpretare la particolare simbologia dei singoli organi interessati, ma di riconoscere la funzione del sintomo all'interno della correlazione sistemica in crescendo, di modificarne il corso e, con esso, l'intero sistema.

Ancor peggio del non percepirsi: ignorare se stessi

Diversa è la situazione di quegli ipersensibili che a un certo punto dell'infanzia hanno deciso di non ammettere di sé alcuna debolezza. Hanno spesso avuto occasione di vivere le emozioni come qualcosa di pericoloso, che rende deboli, con le quali gli altri potevano tenerli sotto controllo e manipolarli. Di conseguenza, ignorano tutto ciò che hanno in sé di potenzialmente debole e collegabile alle emozioni e con ciò anche eventuali reazioni e sintomi. Si identificano con un'idea di forza e resistenza e a lungo riescono anche a ignorare i sintomi e le debolezze fisiche, poiché non rientrano nell'immagine di realtà che si sono costruiti.

Quando il divario tra immagine di sé e reale stato di salute si apre troppo, non è più possibile ignorare la malattia, che nel frattempo avrà raggiunto una certa gravità. Non di rado il prezzo che si è costretti a pagare per questa idea di forza è addirittura una morte precoce. Cerchiamo di non arrivarvi.

CAPITOLO 4

Vivere meglio la quotidianità

Imparare a centrarsi su se stessi e a definire i propri limiti operando un controllo sulla percezione è il presupposto fondamentale per non considerare più l'ipersensibilità un peso, ma una dote che aiuta a vivere meglio. Questo capitolo intende far luce soprattutto sulle relazioni sociali all'interno delle quali ci muoviamo: lavoro, amicizie, vita di coppia, situazioni conflittuali. Qui scoprirete altri modi per influire attivamente e in modo costruttivo su abitudini e schemi emotivi e intellettivi, in modo da non essere più in balia degli stimoli esterni, ma cominciare a prendervi cura di voi stessi e vivere in modo più sereno e armonioso con chi vi è accanto.

Sviluppare resistenza allo stress

Rispetto alle altre persone, noi ipersensibili percepiamo gli stimoli in numero maggiore e in modo più intenso. Tendiamo meno a ragionare per compartimenti stagni e spesso proprio per questo non riusciamo a stabilire i nostri limiti. Di conseguenza, abbiamo anche molti più stimoli da elaborare e ci ritroviamo sempre occupati. A noi viene richiesto più impegno che ad altri e questo ci rende più vulnerabili allo stress. A tutto ciò si aggiunge il fatto che percepiamo il mondo che ci circonda come minaccioso e incombente e questo non fa che diminuire ulteriormente la nostra resistenza.

Quando tutto cambia: una "eccessiva richiesta di adattamento"

Gli ipersensibili sono in grado di avvertire in anticipo i cambiamenti all'orizzonte e, assieme a essi, la necessità di cambiamento e di rinnovamento. Al contempo, di norma hanno bisogno di più tempo per adattarsi alle nuove situazioni. Collegano le nuove informazioni in modo più approfondito e preciso, pertanto hanno bisogno di più energia. In un'epoca di cambiamenti sempre più rapidi si sentono quindi chiedere sempre di più da persone dotate di una sensibilità inferiore. Questa "eccessiva richiesta di adattamento" produce stress – uno stress non generato solo da cambiamenti indesiderati, ma anche da novità piacevoli, quando però vengono accolte o si presentano in modo troppo repentino.

Le contraddizioni interiori ed esterne producono stress

Noi ipersensibili risentiamo di quell'abisso tra le pretese eccessive che avanziamo nei nostri confronti e l'incapacità di soddisfarle. Oltre a questo siamo anche molto bravi a intuire quello che gli altri si aspettano o pretendono da noi. Molte volte non sappiamo tracciare un confine tra le contraddizioni e le tensioni presenti nell'ambiente che ci circonda. A tutto ciò si aggiungono le ansie di cui soffrono molti ipersensibili nei riguardi della realtà in cui vivono, che spesso appare loro ostile ed estranea. Molto spesso è presente anche un conflitto interiore tra i loro schemi di adattamento e la loro reale natura. Queste tensioni producono uno stress continuo alquanto pericoloso. Le tensioni del momento, che vanno ad aggiungersi a quelle già presenti, diventano la classica goccia che fa traboccare il vaso.

In molti casi aumentiamo ulteriormente lo stress anche opponendo resistenza: resistenza nei confronti della nostra vera natura, che non accettiamo, nei confronti degli altri che non ci vanno bene per come sono, dei "rapporti" che vorremmo effettivamente cambiare o dei cambiamenti che non siamo in grado di sopportare. Prendere coscienza di questa resistenza è un primo importante passo per riuscire ad abbandonarla.

RIFLESSIONE

Gli ipersensibili sopportano meno bene lo stress delle altre persone. Capita anche di sentirsi stressati all'improvviso senza conoscerne la ragione. Lo stress modifica il flusso delle energie e si ripercuote a livello energetico. Quando vi sentite stressati, provate a chiedervi: di chi è, veramente, questo stress? È davvero il mio? Riuscite a cedere lo stress a qualcun altro e a non lasciare aumentare la tensione? Questo sarebbe molto costruttivo anche per chi vi è accanto.

Se desiderate acquisire una migliore consapevolezza del vostro stress, potete chiedervi cos'è che in quel momento vi disturba così tanto: si tratta di troppi stimoli esterni? Dovete affrontare troppi cambiamenti in una volta sola? Vi trovate ad affrontare una sfida? State vivendo un conflitto interiore? Siete in conflitto con qualcuno o con circostanze esterne? Oppure si tratta addirittura di un conflitto del tutto inutile?

Stress: controllabile o incontrollabile?

La reazione allo stress accompagnata da rilascio di adrenalina, accelerazione cardiaca, respirazione più intensa e via dicendo è in noi innata e ci permette di reagire prontamente in situazioni di pericolo. Di agenti stressanti ce ne saranno sempre: pericoli, minacce, cambiamenti, sfide, conflitti... A farci percepire tale stress è principalmente il fatto di non riuscire a controllare la situazione. Se diventiamo padroni dello stress, la minaccia si trasforma in una sfida in grado di farci crescere, la paura si trasforma in coraggio e fiducia. In questo possono esserci di aiuto precedenti esperienze in cui siamo riusciti ad affrontare le sfide, come anche le conoscenze e l'accortezza, le forze di cui disponiamo e il sostegno del prossimo.

La situazione stressante diventa incontrollabile quando nell'affrontarla chiediamo troppo a noi stessi e ci sentiamo impotenti, quando puntiamo troppo in alto, quando le conoscenze e i metodi a disposizione si rivelano vani, quando gli altri non ripongono fiducia in noi o ci incutono ancor più timore, quando permettiamo che tutto ciò accada e dubitiamo di noi stessi. A quel punto la paura sale, noi ci indeboliamo e cediamo. Così facendo non ci rendiamo nemmeno conto che in realtà potremmo risolvere la situazione, né scopriamo il modo per farlo.

Gli ipersensibili possono sentirsi ben presto impotenti e quando questo avviene le loro reazioni allo stress diventano incontrollabili. Se hanno sacrificato la percezione del corpo in favore dell'adattamento, non hanno la possibilità di valutare le loro reali forze e non conoscono i loro limiti di sopportazione. Se si sopravvalutano, finiscono per essere sconfitti e, di conseguenza, si sottovalutano, con la conseguenza che si sentono ancor più inermi di fronte alle sfide.

Noi ipersensibili, inoltre, fin da piccoli siamo anche costretti a sopportare il fatto che uno dei genitori (a volte entrambi) condivide la nostra stessa natura e come noi non è in grado di affrontare le situazioni stressanti in modo costruttivo. Nel momento in cui si trova davanti una sfida, il bambino è quindi sottoposto a un ulteriore stress. Con il loro modo di reagire allo stress, la mamma o il papà non solo non offrono al figlio alcun sostegno, ma non dimostrano alcuna fiducia nelle sue capacità di risolvere il problema. Oltre a tutto questo, non fanno che danneggiarlo ulteriormente trasmettendogli le loro paure. Un bambino, in questa situazione si trova quindi in un conflitto tra due fronti, che va ben al di là delle sue forze. Come se non bastasse, deve anche tranquillizzare il genitore e non può affidarsi a lui. È solo. Forse più avanti confiderà ancora meno in se stesso per affrontare le sfide della vita, che gli causeranno tanto più stress.

Quando i metodi contro lo stress indeboliscono ulteriormente

Molte persone stressate cercano di fare tutto il possibile per affrontare lo stress: fanno sport, si concedono pause, evitano i contatti, praticano il training autogeno o la meditazione. Non tutte le strade, tuttavia, portano alla meta sperata: alcuni tentativi finiscono addirittura per generare l'effetto contrario. Determinate forme di meditazione che non includono né il corpo, né il movimento, non sono affatto adatte a europei già abituati a muoversi poco e a essere poco in contatto con il proprio fisico, ma tutti concentrati sulla mente; per gli ipersensibili possono addirittura rivelarsi nocive.

Natasha ha 43 anni ed è impiegata di banca: "Il medico mi aveva raccomandato il training autogeno. Dapprima distendermi e percepirmi in tutta la mia pesantezza mi faceva stare bene. Con il tempo, tuttavia, ho sviluppato una sorta di resistenza a tale pratica. Da un lato mi tranquillizzava, dall'altro avvertivo una sensazione di fiacchezza, che continuava ad accompagnarmi anche in seguito. Oggi pratico Qi Gong: mi rilassa e mi fa superare lo stress, ma oltre a questo mi aiuta a trovare il mio centro, a percepire la mia energia e una sorta di forza naturale e presenza di spirito. Dopo gli esercizi mi sento calma, ma anche piacevolmente sveglia. Spesso, dopo averli fatti, sento persino il bisogno di dedicarmi a qualcos'altro".

Valeska racconta dopo una conferenza: "Con la meditazione che eseguivo seguendo il nastro mi sembrava di salire sempre più in alto e di aprirmi sempre di più. A volte pensavo che quello fosse il modo in assoluto più bello in cui ci si potesse sentire, tuttavia più mi fondevo con l'universo, più la quotidianità mi risultava insostenibile, come se tutti i suoi stimoli si riversassero allo stesso tempo su di me".

Karen (57 anni) è direttrice di una scuola: "La meditazione seduta, con il tempo mi aveva reso sempre più agitata e nervosa. Io avevo reagito imponendomi ulteriore disciplina e sforzandomi di reprimere l'agitazione – cosa che per certi aspetti avevo già imparato a fare nell'infanzia. Oggi so che tutto ciò non serviva a niente. Era solo una variante di quel vecchio gioco che mi portava ad adeguarmi alle norme e a ignorare sempre i miei bisogni e i miei limiti".

Molti ipersensibili non sono in contatto con il corpo, percepiscono troppo poco i propri limiti, non sono radicati e troppo poco centrati. Come se questo non bastasse, molti di loro si sottopongono a una meditazione che tende ulteriormente a trascendere, a privare di limiti e a espandere. Il risultato è evidente: la loro pelle si fa ancora più sottile e diventano ancor più soggetti alo stress. E magari per sottrarsi a tutto questo decidono di dedicarsi ancora più alla meditazione... Se alla base del tutto c'è anche una convinzione ideologica particolare, può passare molto tempo prima che l'ipersensibile si renda conto che tale metodo non è quello più adatto a lui. Solo chi è radicato e centrato su se stesso può permettersi di affrontare i successivi passi della propria crescita e prima o poi aprirsi magari all'universo e al trascendente, ma senza per questo smarrirsi e precipitare.

Particolarmente adatti ai soggetti ipersensibili sono i metodi di meditazione che contribuiscono a fornire un maggior radicamento e a centrare a livello energetico, come il Tai Chi, il Qi Gong e lo Yoga. Attraverso queste pratiche si impara, orientando la mente, a percepire contemporaneamente il proprio corpo e la propria energia, diventandone sempre più consapevoli. Per molti ipersensibili è importante non vivere il corpo unicamente come fonte di dolore, di debolezze e di oppressione, ma avvertire l'energia, il pulsare della vita, il respiro e una piacevole tensione muscolare, così da trovare accesso alla propria reale forza e resistenza e riuscire ad aumentarle.

Due metodi: ridurre l'adrenalina e favorire l'ossitocina

Chi, durante la giornata, vive nello stress, la sera dovrebbe diminuire il livello di adrenalina prodotta. L'attività muscolare e il movimento ci permettono di farlo. Più difficile diventa quando si è troppo stanchi per decidersi di andare a correre, in palestra o anche solo per fare una passeggiata, ma questo è del tutto comprensibile. L'adrenalina ancora presente può renderci ancora meno resistenti il giorno dopo e con il passare dei giorni diminuire la nostra capacità di affrontare lo stress.

Molte persone stressate dopo una giornata particolarmente impegnativa non vedono l'ora di trascorrere una serata tranquilla in solitudine e calma. Appena rimangono sole, tuttavia, non riescono nemmeno a produrre l'ormone opposto all'adrenalina, che permette di ridurre lo stress in un altro modo: l'ossitocina. Questo ormone, che viene prodotto durante l'allattamento, viene rilasciato anche nei momenti di tenerezza o anche solo quando si avverte una certa intimità e fiducia con chi si ha intorno.

Un ipersensibile talmente stressato da non riuscire minimamente a intraprendere sport o movimento, non ha voglia di contatti e preferisce starsene da solo; poiché tutto ciò che desidera è la tranquillità, non sempre riesce a ottenere il benessere sperato, anzi: in molti casi può accadere addirittura che si senta ancora più indebolito.

Chi non ha più energie a disposizione per dedicarsi alle proprie attività corre il rischio di cercare rifugio nel mondo virtuale della televisione. Movimenti e contatti virtuali coprono i bisogni reali senza riuscire a soddisfarli. Si rimane in una condizione di bisogno, di mancanza che non si è in grado di colmare. Mancanza e solitudine, però, generano a loro volta stress, anche se in una forma che viene percepita diversamente. Chi vive in questo modo si indebolisce sistematicamente con il tempo. Una volta terminato il lavoro, non fa che sostituire uno stress a un altro.

DIMINUIRE LO STRESS AIUTA ANCHE A PREVENIRLO

Se oggi diminuite il vostro stress attraverso lo sport, il moto o il contatto con altre persone, già l'indomani sarete in grado di sopportarne un po' di più!

Se non intervengono altri fattori a ostacolare questo sviluppo e a interrompere il circolo vizioso in continua crescita, non pochi individui finiscono per sviluppare la sindrome del *burn-out* e a ritrovarsi completamente estraniati dalla vita sociale e professionale. Molti ipersensibili percorrono questa strada senza nemmeno immaginarsi di quello che causano ritirandosi così tanto in solitudine ed evitando i contatti.

Quando diventa davvero dura, gli ipersensibili sanno dov'è appeso il salvagente!

C'è un fenomeno piuttosto singolare riguardo al quale quasi tutti i miei pazienti e i partecipanti ai miei seminari possono fornire alcuni esempi. Se nelle situazioni quotidiane le persone meno sensibili si dimostrano in genere più capaci di agire e di prendere decisioni rispetto a noi ipersensibili, nelle situazioni di emergenza la faccenda si capovolge. Quando tutti corrono da una parte all'altra come galline impazzite in un pollaio senza sapere esattamente cosa fare, stranamente sono proprio gli ipersensibili a prendere in mano la situazione. Siamo noi, in quei casi, a mantenere la visione d'insieme e ad adottare coraggiosamente le misure necessarie. In quei momenti siamo coraggiosi come leoni e pronti alla battaglia! Sembra davvero una contraddizione: tutto a un tratto è come se "funzionassimo" secondo altre regole e un programma completamente diverso. Difficoltà ad agire e perplessità varie appartengono ormai al passato: ora siamo concentrati solo su ciò che davvero conta e abbiamo ben chiaro, in ogni cellula del nostro corpo, quello che c'è da fare.

Potete provare a immaginarvi in una simile condizione per riuscire a far fronte in modo migliore alle varie sfide della vita quotidiana. Già solo l'idea di avere in sé questa parte così capace di destreggiarsi modifica il nostra atteggiamento nei confronti della vita e l'idea che abbiamo di noi stessi. Chi da ipersensibile ha avuto modo di sperimentare in prima persona e consapevolmente questa esperienza può porsi di fronte all'esistenza e alle sue molteplici sfide con maggiore fiducia. Attenzione, però, a non confondere questa parte di noi con la tendenza (particolarmente sviluppata in molti ipersensibili) a sopravvalutare se stessi e le proprie forze, che porta ad avanzare pretese eccessive e adeguarsi alla norma.

L'immagine dell'ipersensibile e il nostro rapporto con lo stress sono molto in contrasto l'uno con l'altra. Molti di noi devono ancora imparare ad affrontare le sfide e allenarsi a farlo. In genere sono reazioni che scattano automaticamente dentro di noi a intensificare ulteriormente lo stress. Operando un cambiamento consapevole su questi processi è tuttavia possibile imparare a gestirli in modo costruttivo e acquisire maggiore resistenza. E in questo la particolare sensibilità che possiamo vantare ci può essere di grande aiuto.

RIFLESSIONE

Fase 1

- Rievocate una situazione nella quale eravate sotto stress.
- Con quali pensieri avete reagito alla sfida che vi trovavate di fronte e alla reazione di stress che stavate vivendo?
- Con quali emozioni e sensazioni avete risposto al fattore stressante e alla situazione in generale?
- Come avete reagito a livello fisico?
- Come vi siete comportati di conseguenza?
- Come si è ripercosso questo sulla situazione?

Fase 2

- Cosa e come dovreste pensare per rafforzare la vostra capacità di reagire allo stress?
- Quali emozioni avrebbero acutizzato ulteriormente la vostra reazione?
- Quali reazioni fisiche avrebbero contribuito ulteriormente allo stress?
- Quale comportamento avrebbe esacerbato al massimo la situazione?
- Fino a che punto sarebbe potuto arrivare il tutto?

Fase 3

- Con quali pensieri potreste rispondere in modo costruttivo (senza ingannare voi stessi) alla sfida che vi sta davanti e al vostro stress, in modo da non farlo aumentare eccessivamente?
- Quali emozioni sarebbero adeguate alla situazione per limitare al massimo lo stress?
- Quali reazioni fisiche (postura, respirazione e così via) potrebbero contribuire a non far aumentare lo stress?
- Quale sarebbe, per voi, un modo costruttivo di reagire al fattore stressante e alla situazione in generale?
- Come influirebbe questo sull'intera situazione?
- Come potrebbe influire questa idea sul vostro futuro modo di affrontare le sfide?

Gli ipersensibili pensano in modo diverso

Assorbendo più stimoli di altri, siamo costretti anche a elaborarne un numero maggiore. Come si ripercuote questo sul nostro modo di pensare e, con esso, sul nostro lavoro e la nostra vita professionale?

Nei nostri ragionamenti inseriamo più informazioni rispetto ad altre persone. Se disponiamo di un quoziente intellettivo elevato, di certo siamo avvantaggiati, poiché abbiamo fin da subito la possibilità di ampliare la capacità di ragionare in modo più differenziato e complesso. Potenzialmente possiamo avvicinarci al soddisfacimento della pretesa di perfezione che formuliamo nel pensiero.

Ma questa maggiore registrazione ed elaborazione di stimoli si rivela davvero un vantaggio per tutti gli ipersensibili? Prima di tutto tale differenziazione mentale può richiedere più tempo, prima di dare risultati chiari. Spesso la modalità di ragionamento dell'ipersensibile non è centrata su di sé, non ha focalizzato un suo centro. Questo può portarlo a essere più obiettivo, ma mancando di collegamento con il corpo non ha modo di veder confermate le proprie deduzioni grazie a una sensazione che solo lui è in grado di fornire. Nell'insicurezza si pone quindi continue domande su cosa sia giusto, cerca di orientarsi sui pensieri altrui e così facendo giunge ancor meno a conclusioni concrete. Con la perdita del legame con il corpo e della propria posizione va persa anche la considerazione dei propri interessi e, oltre a questa, l'accettazione dei propri limiti, l'idea di cosa si è in grado di fare, o meno. Ci si adegua all'altro, oppure ci si immagina onnipotenti. Nei casi estremi, all'azione si sostituisce per sempre il pensiero.

Mi limito ad accennare al fatto che questo modo di pensare porta energeticamente a un sovraccarico del pensiero. La percezione del corpo e dei propri limiti passa in tal modo ancor più in secondo piano. Questa concentrazione di energia conseguente al superamento dei propri limiti può cominciare a farsi notare tramite i sintomi corrispondenti.

Quando manca un'educazione al pensare, il ragionamento manca di precisione, di oggettività e di chiarezza; diventa molto soggettivo, si confonde con idee, sensazioni, emozioni, opinioni, pretese teoriche e risentimenti, e rischia di rimanere impelagato in un guazzabuglio di dettagli e considerazioni, per poi perdersi e non portare ad alcun risultato. Di questo modo di pensare ci si può sentire in balia, lo si può vivere passivamente, così come passivamente lo si percepisce.

A quel punto si è ancora più disposti a cedere la responsabilità e a lasciare che siano le riflessioni o le convenzioni altrui a decidere per noi.

Un conflitto tra il proprio modo di pensare e quello degli altri

Noi ipersensibili siamo potenzialmente in grado non solo di pensare in modo più differenziato, profondo e dettagliato, ma riusciamo anche a immedesimarci in modo del tutto naturale nel modo di pensare altrui. Accettiamo apertamente le idee degli altri e ne seguiamo il flusso, quasi si trattasse delle nostre stesse riflessioni.

Può quindi capitare che, parlando con un'altra persona, un ipersensibile si perda nella sua posizione, nel suo punto di vista e nel flusso dei suoi ragionamenti, arrivando addirittura al punto da far fatica, in seguito, a tornare sulle proprie posizioni e interessi.

Il modo di pensare di un ipersensibile è spesso più radicale e risulta estraneo alle altre persone, poiché si basa su una percezione più ampia e approfondita e vanta una maggiore pretesa di armonia, giustizia e completezza. Può risultare molto soggettivo, anche se in genere non è determinato dalla posizione o dagli interessi della persona. Questo le permette di porre in dubbio posizioni note da tempo. Persino quando ruota su contenuti politici, spesso il modo di ragionare dell'ipersensibile appare agli altri troppo assoluto per poter essere concepito in senso strettamente politico.

In genere questa modalità di pensiero porta a sentirsi soli. Soprattutto per i bambini rappresenta una fonte di estrema insicurezza, che può generare un conflitto interiore tra il proprio modo di pensare differenziato e minuzioso e quello degli altri. Molte volte si cerca di adeguarlo, non lo si ritiene più degno di fiducia, lo si blocca con tutta una serie di dubbi o lo si ignora, per poi tornare, volenti o nolenti, ad adottarlo.

Non fidarsi della propria testa

Molti ipersensibili non si fidano della propria testa. Quando difendono le proprie percezioni e seguono i propri pensieri si sentono lasciati soli. Vivono, inoltre, in un conflitto tra il proprio modo di pensare adattato a quello altrui e il proprio flusso di pensieri, che finisce per emergere solo troppo tardi e spesso non in maniera diretta. Per gli altri, questa dicotomia può apparire evidente e inquietante. Le riflessioni degli ipersensibili vengono giudicate capricciose, spesso cocciute e rigide, radicali e avulse dalla realtà. Se da un lato l'ipersensibile si fonde completamente nella persona che ha davanti, nel momento in cui presenta le proprie riflessioni crea tra questa e sé una distanza che può risultare sgradevole.

Al di là del tema dell'ipersensibilità, comunque, ciascuno ha il proprio modo di pensare. Non esiste una scuola in cui si spiega come utilizzare il cervello, non ci sono istruzioni per l'uso del "ragionare" o che illustrino le varie modalità di pensiero. Nemmeno la matematica può esserne un sostituto. La facoltà del pensare è lasciata più o meno al principio empirico. Quello che accade nella mente, il modo in cui si arriva a un determinato risultato, rimane quasi sempre nascosto nella scatola nera del cervello.

Impariamo a esprimere a livello verbale i nostri pensieri principalmente prestando ascolto alle riflessioni altrui e adottando il modo di ragionare delle nostre figure di riferimento. Questo può rivelarsi problematico per i figli ipersensibili di genitori ipersensibili, che per primi non confidano nel proprio modo di ragionare e si dibattono tra una modalità di pensiero adattata al modello altrui e una loro personale, che si ritrovano con schemi di pensiero alquanto contraddittori e la testa piena di assurdità, divieti e tabù, ai quali ricorrono per ridimensionare le proprie convinzioni radicali quando diventano troppo scomode da difendere.

La possibilità di pensare in modo diverso a proposito di uno stesso argomento porta molti interessati a sentirsi confusi e a non riconoscere più se stessi all'interno della propria testa. Si sentono dibattuti da un lato e dall'altro quando sentono di non essere più padroni dei propri pensieri. Riconoscere la relatività e l'influenzabilità dei pensieri e scoprire di poter pensare anche in un modo del tutto diverso da quello adottato fino a quel momento permette di percepire il proprio modo di pensare in modo distaccato e di metterlo in dubbio. A quel punto si dispone della possibilità di valutare il proprio modo di ragionare e riuscire quindi a dirigerlo. Questo è ciò che si chiama pensiero consapevole!

RIFLESSIONE: PENSARE IN MODO CONSAPEVOLE

- A cosa stavate pensando un attimo fa?
- Eravate consapevoli di averlo pensato?
- Volevate pensarlo?
- Chi è o cos'è che pensa, qui, in realtà?

Quando siete consapevoli di quello che pensate, potete anche riflettere sul vostro ragionamento. A quel punto potete anche decidere se volete davvero pensare così o magari in un modo completamente diverso. Più consapevolezza acquisite su ciò che pensate, più acquisite libertà per voi stessi. Diventate padroni della vostra mente.

Anche quando pensiamo, noi ipersensibili veniamo posti davanti alla scelta se soffrire della nostra condizione e viverla come un difetto oppure sviluppare consapevolezza. A livello mentale questo significa scegliere se rimanere in balia di schemi di pensiero estranei, vivere in un costante conflitto interiore tra adattamento e forzata estrosità e lasciarsi dominare da vecchie abitudini mentali, oppure gestire responsabilmente il proprio modo di ragionare, pensare attivamente e con consapevolezza e sviluppare al meglio le qualità di tale modalità di pensiero.

Il nemico nella propria testa

Il fatto che l'intelligenza sia presente e si sviluppi non dice comunque molto sul modo in cui viene utilizzato il cervello, cosa produce quella modalità di pensiero e quali ripercussioni ha sulla persona. Il pensiero può contribuire costruttivamente alla crescita, può favorire fortuna, gioia e successo. Allo stesso modo, però, l'intelligenza può essere utilizzata per adeguarsi, per non dare nell'occhio, per intralciare la propria felicità e riuscita, per frenare se stessi e la propria evoluzione. Una persona che si ritrovi a fare questo ha in sé un nemico segreto, alquanto intelligente, impossibile da combattere senza un aiuto dall'esterno. Questo sabotatore, infatti, spia tutti i tentativi per liberarsi di lui, conosce in anticipo ogni intenzione palese e sa sventare intelligentemente quelle segrete.

Ma cos'è l'intelligenza? Quanto servono i test di intelligenza per capirlo? E cosa misurano esattamente? Un test di intelligenza funziona in questo modo: viene posto un problema da risolvere (input) e poi viene valutato il risultato (output). L'elaborazione che avviene tra una fase e l'altra rimane oscura. Il cervello è una scatola nera. Fondamentalmente, a essere misurato è solo il risultato. Un test per misurare il quoziente intellettivo è adatto solo a coloro che sanno applicare la propria intelligenza in modo diretto e consequenziale nel risolvere i quesiti? Che tipo di intelligenza è in grado di misurare un test in un individuo che nutre incertezze sul proprio modo di ragionare e che nel suo pensare differenziato si adegua agli altri, che impiega la propria intelligenza perfino per costruirsi idee contorte nelle quali resta impigliato?

Le mie osservazioni su soggetti ipersensibili con quoziente intellettivo molto elevato e altri di intelligenza nella norma mi ha portato a concludere che a irritarli era la sensibilità spiccata abbinata al loro modo di pensare. Il loro sentirsi diversi, non capiti, li ha portati ad adattare non solo la propria sensibilità, ma anche la propria modalità di pensiero, che veniva rivolta contro loro stessi e degenerava in una manipolazione ostile al loro sviluppo. Alla fine, questi soggetti non potevano più fare affidamento sulla propria mente, perché essa difendeva solo gli interessi degli altri.

Appare evidente come una simile modalità di ragionamento si ripercuota sul modo di prendere le decisioni: la mente è sottoposta a uno sforzo estremo per questioni decisionali paragonabili a compiti matematici con troppe incognite e irrisolvibili con il solo utilizzo della ragione. Per riuscire a prendere buone decisioni abbiamo bisogno di un buon contatto con il nostro corpo e in particolare con la pancia, che al momento giusto entra in scena e aiuta a prendere la decisione giusta.

Particolari ostacoli di molti ipersensibili nel pensare

- In genere pensate senza essere centrati su voi stessi e senza occupare la posizione che vi spetta (cosa che in diverse situazioni può comunque essere un vantaggio).

- Ragionate senza contatto con il corpo e, di conseguenza, vi private della risonanza che può confermare l'esattezza dei vostri pensieri.

- Il pensiero può degenerare e perdersi senza arrivare ad alcun risultato concreto.

- Senza collegamento con il corpo e senza essere centrati su se stessi non si percepiscono i propri limiti e le forze di cui si dispone e si corre il rischio di sopravvalutare le proprie possibilità.

- Ragionando senza essere centrati su se stessi e sulla propria posizione si perdono di vista i propri interessi.

- Il pensiero è bloccato in un conflitto tra adattamento e ribellione, flessibilità e rigidità, altruismo ed egoismo.

- Pensare anziché agire! Il pensiero può essere utilizzato come strategia di impedimento.

- Il pensiero porta l'ipersensibile a idealizzarsi. Anziché mettere in pratica le riflessioni, si formulano ambizioni di perfezione sempre più elevate.

Particolari qualità potenzialmente presenti negli ipersensibili durante il processo di ragionamento

- Il modo di pensare è oggettivo e privo di vincoli.

- Il modo di pensare è attento e libero da pregiudizi.

- Il modo di pensare è preciso e interconnesso.

- Il modo di pensare non si lascia limitare dalle convenzioni.

- Il modo di pensare rispetta anche gli interessi degli altri.

- Il modo di pensare tiene conto anche delle possibili ripercussioni e conseguenze dell'agire.

- Il modo di pensare è al contempo critico e autocritico.

- Il modo di pensare non si lascia limitare dalle possibilità del momento, per cui può diventare visionario.

- Il modo di pensare mette in relazione le ambizioni con le possibilità.

- Il modo di pensare riconosce la propria relatività e diviene consapevole di sé.

Domande concrete che aiutano nel ragionamento

- Questo modo di pensare favorisce la mia crescita o la ostacola?

- Questo modo di pensare è unicamente finalizzato alla ricerca di riflessioni, obiezioni e ostacoli?

- Questo modo di pensare mi aiuta a essere attivo? Oppure serve solo a ostacolarmi e inibirmi?

- Tendo a pensare, anziché agire?

- Faccio sogni a occhi aperti o compio speculazioni teoriche volte a distogliermi dai compiti che devo svolgere?

- Sono utili queste riflessioni? E a chi?

- Cosa mi impedisco di pensare?

- Questo modo di pensare mi fornisce maggiore chiarezza? O rende tutto più complicato?

- Questo modo di pensare è davvero il mio? Chi lo ha caratterizzato?

- Questo ragionamento è fatto solo di ignoranza e arroganza?

- Questo modo di pensare è forse solo il negativo del modo di pensare di un'altra persona?

Per poter pensare in modo consapevole si deve prima di tutto avere la percezione di ciò che si pensa. Ponetevi ogni tanto la domanda: a cosa sto pensando in questo momento? Solo così potrete decidere se continuare a pensare così o adottare un'altra modalità e potrete sfruttare al meglio le vostre potenzialità.

Ipersensibile, premonitore, medianico

Ci sono ipersensibili che non solo riescono a immedesimarsi nei pensieri di un'altra persona, ma rivelano anche capacità premonitorie e medianiche: acquisiscono informazioni delle quali, secondo l'opinione comune, non dovrebbero essere a conoscenza, come i pensieri di una persona loro estranea, la situazione che sta vivendo in quel momento o accadimenti della sua vita passata o futura. Si tratta di un fenomeno che inquieta e allo stesso tempo si tende a denigrare, accusando l'interessato di ciarlataneria.

Possedere capacità medianiche può rivelarsi incredibilmente fastidioso per i diretti interessati, che magari già nell'infanzia non avevano un pieno controllo delle proprie percezioni e ora vedono continuamente sminuite o derise le loro esternazioni. Quanto viene percepito richiede troppo alla mente di un bambino; a ciò si aggiunge il fatto che per lui è difficile trovare qualcuno con cui parlarne o che gli insegni a gestire quella sua particolare dote.

Per chi possiede capacità medianiche, infatti, la sfida non consiste nel percepire qualcosa di extrasensoriale, bensì nel gestire in modo consapevole tali informazioni, limitarne il numero o smettere anche di acquisirle, in modo da evitare di sentirsene sopraffatto. La bravura consiste nel saper operare una sottile distinzione, a livello percettivo, che permetta di capire se quelle immagini e impressioni siano solo uno specchio delle paure, speranze e aspirazioni proprie o di un'altra persona o, ancora, se si tratti di una percezione extrasensoriale.

Un medium di talento, in genere considera negativamente questa sua facoltà, quasi rappresentasse un problema e un peso. Una persona che invece non è dotata di capacità medianiche aspira a possederne. Per tutti coloro che amano illudersi di disporre di particolari facoltà sono oggi a disposizione numerosi corsi per soddisfare le proprie fantasie di grandezza. Che il prezzo da pagare sia davvero alto (ulteriore tendenza a considerarsi superiore e a lasciarsi travolgere dagli stimoli) non sembra spaventarli più di tanto.

In generale agli ipersensibili dotati di capacità medianiche si raccomanda di imparare a gestire al meglio la propria sensibilità, acquisendone consapevolezza fin negli aspetti più sottili, così da poter operare una differenziazione tra i vari stimoli registrati e controllarli in modo ottimale. Solo una volta centrati su se stessi, radicati e delimitati, essi potranno salire piolo dopo piolo la scala della medianicità, ovviamente sempre partendo dalla base sicura della realtà concreta.

I pensieri "letti" non fanno testo

La capacità di leggere i pensieri altrui può rivelarsi alquanto dannosa nella vita normale e, in particolare, all'interno di situazioni conflittuali. Immaginiamoci, per esempio, che in occasione di un litigio un uomo ipersensibile rimproveri alla moglie che stia valutando un'ipotesi di divorzio. Basterebbe tale accusa ad acuire lo scontro.

In linea di massima non si può rimproverare a una persona un pensiero che non ha espresso, da un lato perché non si può essere sicuri al cento percento di quello che pensa, dall'altro perché si rischia di lasciarsi trascinare dai propri timori di fondo. Non è detto, inoltre, che tale persona sia del tutto consapevole di quel pensiero: nel cervello è tutto un susseguirsi di idee e, in genere, la nostra coscienza registra solo uno o al massimo due o tre flussi di pensiero contemporaneamente.

Nel caso di discussioni, se volete risolvere il conflitto limitatevi a criticare quanto espresso apertamente dall'altro e non i pensieri reconditi e supposti, per evitare di gettare olio sul fuoco.

Ignorare, evitare, esplodere: atteggiamenti conflittuali

Capita frequentemente di osservare che molti di noi ipersensibili si decidono troppo tardi di difendere i propri interessi e sprecano le occasioni in cui conveniva farsi valere. Non stupisce che questo sia dovuto al fatto che spesso percepiamo noi stessi meno degli altri e, di conseguenza, siamo meno centrati a livello energetico e non viviamo la realtà dalla posizione che dovremmo occupare. Tutto questo ci porta a riconoscere troppo tardi i nostri bisogni. La nostra percezione spesso non risente minimamente dei nostri interessi, desideri e richieste. Avvertiamo invece molto bene i bisogni altrui o concetti e valori superiori come giustizia, equità e pace.

Anche nel regno animale la strategia di sopravvivenza e lo schema vincente dei soggetti ipersensibili non prevedono l'atteggiamento di attacco, ma la capacità di avvertire in anticipo i pericoli, allertare l'altro, ritirarsi per tempo e mettersi al sicuro: gli animali ci danno chiari esempi di quanto questa strategia sia importante. Anche quando noi ipersensibili non dobbiamo lottare per la concorrenza o la dominanza, ma per lo più per valori vincolanti come equità e giustizia, solo pochissimi tra noi vivono in quell'atmosfera armoniosa che tendono sempre a favorire. Al contrario, più perdiamo noi stessi, più siamo vulnerabili e in balia di conflitti occulti.

Per garantirsi la sopravvivenza sono necessari anche un sano egoismo, nonché la disponibilità e la capacità di far valere i propri interessi e svolgere nella vita il ruolo che ci compete. Di norma un bambino pone al centro prima di tutto se stesso e i propri bisogni, prima di imparare a rispettare le richieste altrui. Nel caso di noi ipersensibili, invece, fin dall'infanzia può accadere diversamente. Spesso percepiamo prima i bisogni del prossimo o della comunità e solo dopo (forse) i nostri. Molte volte dobbiamo prima trovare accesso ai nostri bisogni e interessi per riuscire a difenderli. Mentre altri all'inizio sono egoisti e hanno bisogno di imparare a comportarsi in modo altruista, noi ipersensibili sembriamo farlo fin da subito. Solo con il passare degli anni riconosciamo di aver bisogno anche noi di una certa quantità di egoismo.

Per questo motivo ci risulta in genere più facile difendere gli ideali o le richieste altrui piuttosto che le nostre: sprezzanti del pericolo ci buttiamo nella battaglia come nobili cavalieri in difesa dei diritti di vedove e orfani. Quando invece si tratta delle nostre esigenze, non solo ci viene a mancare il coraggio di combattere, ma anche la presenza di spirito. Di conseguenza spesso non siamo nemmeno in grado di percepire queste opportunità o sfide, tanto meno per tempo. Questa, invece, sarebbe proprio la premessa per riuscire a prendere le proprie difese e farsi valere.

Occasioni mancate

Solitamente gli ipersensibili decidono di servirsi quando ormai della torta non è rimasto più molto. Prima ci assicuriamo che tutti ne abbiano presa una fetta e solo una volta accertato che loro sono soddisfatti e noi siamo rimasti a mani vuote decidiamo di avanzare le nostre pretese e richiediamo equità e giustizia. Magari lo facciamo anche con il tono di rimprovero tipico dei delusi, visto che sotto sotto speravamo che gli altri si comportassero nel nostro stesso modo. Quindi siamo noi, alla fine, a rovinare l'armonia. Avviene una sorta di spostamento per cui proprio noi ipersensibili tendenti all'altruismo finiamo per apparire egoisti. Pur essendoci trattenuti al massimo, ora risultiamo opportunisti, gretti o addirittura meschini.

Anche negli altri tipi di conflitti accade lo stesso. Quando non percepiamo noi stessi non possiamo nemmeno renderci conto di avere interessi personali e che le nostre esigenze possono anche contrastare con quelle altrui. Non ci rendiamo conto che è il momento di farci valere, se vogliamo ottenere giustizia ed equità. Ci lasciamo sfuggire il momento in cui avremmo potuto dare semplici segnali di presenza e di attenzione e invitiamo invece gli altri, dimostrandoci comprensivi e accondiscendenti, a difendere i loro interessi anche quando contrastano con i nostri.

Al momento giusto basta magari un gesto, uno sguardo o un cambiamento di postura per difendere il proprio punto di vista o mantenere qualcuno a distanza. Se ci si lascia scappare il momento, diventa necessario discutere apertamente con l'altro in merito alla questione. E se si perde anche questa opportunità, si deve chiedere un colloquio. Se si aspetta ulteriormente, se ne esce perdenti o si è costretti a rivolgersi a un avvocato.

Non stupisce di certo il fatto che per molti ipersensibili le tematiche dell'autoaffermazione e del conflitto risultino inevitabili fonti di stress. Spesso siamo tesi, rigidi e inflessibili, oppure ci chiudiamo in noi stessi senza neppure provare a difendere la nostra posizione e così facendo non impariamo nemmeno ad affermarci con sicurezza e naturalezza. Risultiamo sconfitti e siamo ancora più tentati di evitare il conflitto successivo. Non è detto, però, che la situazione debba continuare così per sempre.

Imparare ad affrontare i conflitti

Più si indugia, più si accumula aggressività. A quel punto basta il minimo fattore scatenante per far esplodere la bomba. Spesso il fattore scatenante e la reazione non sono più in un rapporto equilibrato l'uno con l'altra. Ecco, quindi, che ancora una volta noi ipersensibili risultiamo aggressivi e ci rendiamo impopolari. Quando accade facciamo subito marcia indietro, ci sforziamo in tutti i modi di ristabilire pace e armonia, mettiamo ancor più da parte i nostri interessi, facciamo un passo indietro e a quel punto basta di nuovo un minimo spunto per far esplodere la bomba successiva.

La capacità di affrontare i conflitti si rende necessaria anche quando si tratta di rispettare i nostri limiti, riconoscerli, segnalarli ad altri ed, eventualmente, anche difenderli. Chi dice "no" deve anche essere in grado di difendere quella posizione. Quando non si è capaci di reggere il conflitto si è costretti a cedere sempre più il proprio territorio. Il conflitto esterno viene allora spostato verso l'interno, dove può farsi spazio con stress costante e disturbi fisici.

L'incapacità di autoaffermazione attira quasi automaticamente attacchi e abusi da parte di chi ci sta intorno. Nessuno attacca intenzionalmente una persona che appare pronta allo scontro e più forte. Chi non sa farsi valere vive in continui conflitti interni ed esterni. Limiti non ben definiti e che non vengono difesi portano allo scontro continuo, vale a dire proprio a quella condizione che più di tutte si vorrebbe evitare.

Solo a quegli ipersensibili che decidono di affrontare questa sfida il dono della sensibilità spiccata può rivelarsi di grande utilità. In tal caso possono permettersi di essere abbastanza coraggiosi da percepire in anticipo e affrontare eventuali tensioni, possono prevenire i conflitti grazie al loro sesto senso e a una certa concretezza acquisita. Così facendo dimostreranno iniziativa e disarmeranno con la loro avvedutezza e rapidità eventuali avversari. Potranno persino evitare che altri diventino loro avversari e nel caso si arrivi a un conflitto aperto, potranno contribuire a risolverlo in maniera costruttiva, ricorrendo alla capacità di adottare un punto di vista superiore e di dimostrare rispetto per la posizione del contraente.

È un paradosso: solo una volta che noi ipersensibili cominciamo a svolgere il ruolo che ci spetta nella vita, solo quando siamo in grado di occuparci in modo naturale e rilassato di noi stessi e di prendere le nostre difese, riusciamo a trovare quell'armonia e quell'equilibrio che tanto ci stanno a cuore.

Tra l'altro, possiamo conoscerci e cambiare anche solo *immaginandoci* di comportarci come vorremmo! Provare a farlo genera nuove connessioni neuronali nel nostro cervello, che con la ripetizione si fissano sempre più. Prima o poi questa nuova possibilità risolutiva si trasforma in uno schema consolidato che finisce per sostituirsi alle vecchie abitudini.

CAPACITÀ DI REGGERE I CONFLITTI: UN ESERCIZIO "A BRUCIAPELO"

Fase 1

- Richiamate alla memoria una situazione conflittuale, cercando di ricordarla nei minimi particolari. Passatela in rassegna passo dopo passo fin dall'inizio, poi ripartitene l'intero svolgimento in fasi, come se si trattasse di una rappresentazione teatrale.

- Ripassate in rassegna ancora una volta l'ultima parte del conflitto. Nel farlo, immaginate di modificate il vostro comportamento e di aver agito come avreste voluto. Nella fantasia, concedetevi pure qualsiasi comportamento che vi sembri adeguato.

⇒

- Ora rivivete la penultima parte del conflitto e modificate anche questa nella vostra mente, finché vi appare soddisfacente. Come si ripercuote questa modifica della penultima fase sull'ultima? Vorreste apportare su questa un ulteriore cambiamento?

- Ora riandate alla terzultima parte e procedete in questo modo fino a tornare all'inizio della situazione.

Fase 2

- Quando sono comparsi i primi accenni di questo conflitto?
- Per quale motivo avreste dovuto notarli?
- Come avreste potuto prevenire il conflitto?
- Immaginate che queste prime parti si svolgano in modo diverso e di assumere un atteggiamento diverso da quello reale.

Fase 3

- Può essere che questo vostro film mentale risulti non solo meno drammatico, ma anche molto più veloce?

Dare sempre il cento percento: gli ipersensibili e il lavoro

Negli anni Venti, quando Ernst Kretschmer svolgeva le proprie ricerche, le qualità tipiche degli ipersensibili erano ancora molto richieste nel mondo professionale. Nel frattempo la situazione è cambiata notevolmente. La gente è sempre più costretta a vivere in un mondo dominato da frenesia, eccesso di informazioni, ansia da prestazione e competitività, con rapporti sociali sempre più freddi e allentati.

Se il mondo gira sempre più in fretta, noi ipersensibili ne risentiamo più degli altri, considerato il nostro modo di percepire e di elaborare i vari stimoli. Siamo noi a soffrire per primi di questa ulteriore richiesta di adattamento, anche se prima o poi tutti saranno costretti a farlo. Nella vita professionale non è praticamente più possibile sottrarsi a tali ritmi.

Spesso chi non vi si adegua viene escluso dal lavoro, in tanti casi licenziato, ridotto alla disoccupazione e all'isolamento economico e sociale.

La soluzione per noi ipersensibili non può consistere nel chiuderci in noi stessi, bensì nell'imparare a gestire in modo consapevole la percezione e la conseguente elaborazione degli stimoli. Chi impara a farlo può rendersi partecipe e offrire un contributo prezioso. In fondo noi ipersensibili abbiamo molto da offrire sul piano professionale: chi non vorrebbe vantare una capacità percettiva superiore a quella altrui? Chi non vorrebbe poter intuire anche ciò che non è ancora definito e prevedere i futuri sviluppi? E chi dubiterebbe che sia utile comprendere le persone e ciò che sta loro a cuore, riuscire a scegliere il tono più adatto da adottare e il momento migliore?

Qual è la professione più adatta?

Quando un individuo sceglie una professione, desidera, in genere, di poter sfruttare al meglio le proprie doti e capacità, in modo da potersi garantire una vita soddisfacente. Noi ipersensibili, però, spesso vogliamo qualcosa in più: a volte con il nostro lavoro pretendiamo di migliorare il mondo. Solo in seconda battuta ci chiediamo se possediamo i requisiti adatti per riuscirci e se una simile professione ci garantisce anche di che vivere.

Anche nella scelta della professione possono influire il non essere centrati su se stessi e il non saper valutare correttamente le proprie capacità e i propri limiti: si punta al minimo, si osa troppo poco, si cerca la via più sicura e magari ci si precludono tante possibilità. Oppure, al contrario, si punta troppo in alto e si finisce per vivere nel dilemma tra aspirazioni troppo elevate e incapacità di soddisfarle.

Un esempio personale: all'età di tredici, quattordici anni volevo diventare medico. Il mio ideale era Albert Schweitzer. Mio padre si era probabilmente reso conto che tale scelta andava un po' oltre le mie effettive capacità, così mi suggerì di cominciare a fare il volontario, nel tempo libero, presso il pronto soccorso locale. Quando, durante il corso preparatorio, mi trovai di fronte dei feriti, fui costretto a uscire dalla stanza. Ero bianco come un cencio. Non reggevo la vista del sangue. All'epoca non sapevo ancora che si può prendere una certa distanza da quanto si percepisce, né avevo la minima idea di come riuscire a farlo.

In un gruppo di ipersensibili si possono trovare gli individui più disparati, come disparati saranno i loro talenti. Un'unica cosa hanno tutti in comune: una modalità percettiva alquanto sofisticata. Per questo motivo non è possibile indicare una professione che si riveli particolarmente adeguata a tutti gli ipersensibili in generale. Alla sensibilità devono accompagnarsi altre doti e capacità, perché essa possa fruttare al meglio. In caso contrario, può facilmente rivelarsi un handicap. Di queste altre doti, molti ipersensibili ne possiedono una gran quantità, tanto che spesso è proprio questo eccesso di talenti e di interessi a rendere ardua la scelta professionale. Me lo confermano numerosi pazienti; io stesso, al momento di decidere cosa fare nella vita, mi sono sentito dibattuto tra diversi obiettivi e opportunità.

Gli ipersensibili sono portati per tutto ciò che ha a che fare con la precisione, il saper cogliere le correlazioni e con la capacità di percepire in modo sottile e differenziato. In ambito tecnico, per loro sono ideali quelle professioni che richiedono precisione, destrezza e capacità di valutazione, supervisione e controllo, analisi e individuazione degli errori, sviluppo di tecniche innovative e, soprattutto, collegamento tra uomo e tecnica.

In ambito economico so di molti ipersensibili che hanno fatto carriera nel settore del marketing. Anche la contabilità, la gestione armonica delle cifre, può essere appresa con successo: in fondo molto dipende dalle predilezioni e dalle capacità di ciascuno. Nel settore della comunicazione gli ipersensibili sono forti perché sanno sempre adottare il tono più adatto, intuiscono anche quello che l'interlocutore non esprime apertamente e ne sanno riconoscere le necessità. Spesso sono molto motivati a lavorare per il sociale e dimostrano grande impegno nell'ambito della sanità, soprattutto nelle professioni di supporto. Un altissimo numero di ipersensibili è diventato naturopata, magari dopo aver sperimentato delusioni in altri ambiti professionali.

I buoni, vecchi tempi?

La situazione professionale attuale di molti ipersensibili è precaria e questo può spingerli a idealizzare la vita dei secoli passati. Spesso, per esempio, si sente dire che chi è dotato di una particolare sensibilità un tempo sarebbe stato perfetto come "consigliere di corte". Si tratta, tuttavia, di immagini idilliache e ingannevoli. In passato la gente era costretta a vivere in una grande limitatezza di spazio, a meno che non si appartenesse alla nobiltà. Le capanne e le case erano strapiene di bambini e prive di spazi in cui ritirarsi in solitudine. Le città erano rumorose e infestate da pessimi odori, considerata la scarsa igiene e l'assenza di canalizzazioni. I sensi erano sottoposti davvero a continui attacchi. Crescita e realizzazione personale erano concetti astratti, l'adeguarsi alle convenzioni, invece, la parola d'ordine. Quanta sensibilità ci si poteva permettere davvero in epoche così difficili? Ritirarsi in se stessi era possibile solo all'interno di chiostri o conventi, oppure intraprendendo la carriera ecclesiastica, per la quale gli ipersensibili sarebbero stati particolarmente portati. All'epoca, tuttavia, la scelta tra questo tipo di vita e il matrimonio spettava solo in casi rari al diretto interessato. Chi usciva dai ranghi, percepiva cose diverse dagli altri e adottava opinioni differenti rischiava di essere considerato uno stregone o un eretico. Ecco perché non pochi ipersensibili sono probabilmente finiti al rogo – così come tanti di loro oggi sono vittime di mobbing.

Prima olio, poi sabbia negli ingranaggi

Gli ipersensibili percepiscono diversamente, pensano diversamente e lavorano diversamente: in genere sono più esigenti e volenterosi. Ci interessa più la qualità del nostro lavoro che i vantaggi che ne possiamo ricavare. In generale siamo particolarmente prudenti e lungimiranti, avvertiamo cosa manca, intuiamo i bisogni di clienti, pazienti, capi e colleghi e riusciamo a entrare bene in sintonia con il nostro interlocutore, poiché sappiamo leggere tra le righe e intuire il non-detto. Nonostante la nostra caparbietà, siamo capaci di adeguarci con estrema flessibilità a situazioni e persone diverse. In genere siamo estremamente altruisti e pronti ad aiutare il prossimo, se vi è la necessità. Eccellente è anche il nostro modo silenzioso e discreto di contribuire a un buon ambiente di lavoro: ci piace appianare gli squilibri, siamo riguardosi e di sostegno agli altri. Purtroppo, però, abbiamo bisogno di un'atmosfera armoniosa intorno a noi e risentiamo molto delle tensioni altrui.

Non tendiamo a metterci in mostra e a vantarci, ma non tolleriamo molto i nostri errori e ci vuole parecchio tempo prima che riusciamo a perdonarceli. Preferiamo evitare i conflitti, soprattutto quando si tratta di far valere i nostri personali interessi. A lottare siamo disposti soprattutto quando in gioco ci sono principi e valori superiori, come perseveranza, giustizia e qualità.

L'estrema precisione sul lavoro e l'ambizione a fornire sempre ottime prestazioni hanno però anche un risvolto negativo. Bisogna impedire a noi ipersensibili di pretendere di fare sempre tutto in modo perfetto, a volte anche coinvolgendo aspetti estranei alla nostra professione. Non va inoltre dimenticato che non tutte le qualità sopra elencate sono presenti in tutti gli ipersensibili. Questi aspetti positivi tendono anzi a ribaltarsi esattamente nei loro opposti: accade ogni volta che la sofferenza raggiunge il massimo, i piatti della bilancia non sono più in equilibrio, l'ipersensibile ha dimenticato di prendere le proprie difese e ha perso l'occasione per appianare stress e disagi. Chiedere troppo a se stessi apre la porta a sintomi e malattie varie. Alla fine il corpo pretende attenzione.

A quel punto il contributo degli ipersensibili non è più un "olio" in grado di eliminare gli attriti sul posto di lavoro, bensì "sabbia" negli ingranaggi. Nonostante la loro accortezza, ora non sono più in grado di avere una visione d'insieme: si perdono nel dettaglio. Quando ci si fa carico di troppe responsabilità, si finisce per soffocare. Ora è l'ipersensibile stesso a commettere sbagli e a non riuscire più a portare a termine il proprio lavoro. Per compensare i propri deficit, però, ci vuole parecchio tempo: i bisogni troppo a lungo trascurati emergono in modo rabbioso. Adesso è l'ipersensibile ad avere bisogno di aiuto, ma forse non ha mai imparato ad accettarlo o non c'è nemmeno nessuno disposto a fornirglielo, perché può essere che nel frattempo si sia reso piuttosto insopportabile.

In questo caso la flessibilità ha ceduto alla rigidità. Con la propria irritabilità estrema si disturba l'ambiente di lavoro: si reagisce in maniera troppo vulnerabile, si tengono gli altri a distanza e si perde ogni capacità empatica. In molti casi ci si è già rassegnati alla situazione. La sensibilità spiccata si è trasformata in freddezza e mancanza di riguardo e ora si palesa solo come suscettibilità estrema. Si soffre ancora di più del contrasto tra le pretese eccessive di un tempo e la deludente realtà del presente: questa è la situazione di un ipersensibile che si ritrova ormai con le spalle al muro e non è più in grado di fare niente. Inutile dire che, se ancora non è capitato, spesso a questo punto cade vittima di critiche, mobbing ed emarginazione.

Dagmar, un tempo impiegata nel settore progettistica e oggi in quello di supervisione, racconta: "Se guardo indietro ho l'impressione che la malattia e il licenziamento mi abbiano svegliata da un incubo nel quale, come vittima di un sortilegio, ero diventata estranea a me stessa. Soffrivo del mio lavoro e della mia persona. L'aspetto peggiore era il fatto che rifiutavo me stessa e le mie reazioni esagerate e ogni volta che mi dimostravo così irritata e incattivita nei confronti degli altri finivo per tradire continuamente i miei stessi valori e ideali. Non riuscivo più a sopportarmi. Oggi mi chiedo se fosse davvero necessaria tutta quella sofferenza per farmi ritornare in me".

Consapevole sul lavoro

Sul lavoro noi ipersensibili abbiamo la tendenza a complicarci la vita con le nostre pretese eccessive, i continui approfondimenti e le infinite riflessioni. Nelle professioni creative e scientifiche tale atteggiamento può portare a risultati positivi e rivelarsi di vantaggio. In altri ambiti tanta scrupolosità porta in genere a sprecare tempo inutile. Chi non presta attenzione lavora lentamente. Per gli ipersensibili è quindi importante lavorare in modo consapevole, evitando di perdersi in ciò che si sta facendo. A livello pratico questo significa concentrarsi brevemente prima di iniziare il lavoro, in modo da indirizzare l'attenzione sui compiti da svolgere, porre dei limiti a quello che c'è da fare e contenere le proprie pretese. Quel poco di tempo impiegato per questo breve chiarimento sarà senza dubbio ben speso, perché permetterà di lavorare in modo più produttivo. Allo stesso modo, quando si svolgono lavori più prolungati, è bene, di tanto in tanto, tornare a valutare la situazione d'insieme, in modo da mantenersi sulla strada intrapresa e non perdere di vista l'obiettivo che ci si è posti. Impariamo a chiederci ogni tanto: "Dove sono? E dove voglio arrivare?".

Importante è formulare il compito e le richieste nei propri riguardi in modo chiaro e preciso. Gli ipersensibili tendono a chiedere troppo a se stessi e sempre di più con il passare del tempo. Dal sentirsi richiesti al sentire di aver chiesto troppo a se stessi, il passo è breve. Ridurre e limitare le proprie pretese fa sentire sollevati. Formulate quindi in modo preciso il livello qualitativo che volete raggiungere.

Nuovo orientamento professionale

Molti ipersensibili, dopo alcuni anni di lavoro sentono il forte desiderio di un nuovo orientamento professionale. Può accadere quando nella scelta della professione hanno osato troppo poco e non hanno seguito le loro tendenze. Spesso, però, si sente anche il bisogno di cambiare lavoro quando ci si è posti aspettative troppo elevate e dopo alcuni anni ci si rende conto che il proprio modo di lavorare non dà i frutti sperati, ma provoca solo un enorme spreco di energie. Solo di rado si tende a individuare le cause di questo nella modalità percettiva della persona, oppure nel divario tra le sue pretese troppo elevate e la realtà professionale in cui lavora; quasi sempre, invece, si individua come motivo della crisi la professione stessa.

Una crisi di questo tipo è accompagnata quasi sempre dalla sensazione di una mancanza di senso. Ci si convince che questa sia legata al lavoro fino a quel momento svolto, dimenticando che il senso non esiste di per sé, è relativo e sempre frutto di un autoconvincimento; né si tiene presente che un tempo quella professione appariva del tutto sensata. La mancanza di motivazione e di senso è in genere conseguenza dell'esaurimento di energie che si è provocato in prima persona adottando quell'atteggiamento idealistico nei confronti della professione anziché un'adeguata economia del lavoro.

Riflessione

Domande sui compiti da svolgere

- Di cosa si tratta?
- Qual è il mio compito?
- Cosa c'è in gioco?
- Cosa non dipende più da me?
- Cos'è che delimita la mia sfera d'azione?

Domande sull'economia del lavoro

- Come posso risolvere il compito facilmente e in modo rapido?
- Quali soluzioni conosco già?
- A quali routine, esperienze precedenti o ricette posso fare ricorso?

- Come posso lavorare facilmente e in modo rapido, senza troppo dispendio di energie e di fatica?

- Come posso rendere gradevole il lavoro?

- I bambini giocano alle varie professioni. Riesco a giocare con la mia?

- Quale compensazione al lavoro posso trovare nel tempo libero?

Economia del lavoro deve essere anche ecologia del lavoro! Con la nostra salute, il nostro benessere e il nostro potenziale di crescita siamo noi stessi la nostra maggiore e spesso unica risorsa.

Domande su quanto si chiede a se stessi e al proprio lavoro

- Le richieste nei miei confronti (soprattutto da parte dei superiori) mi sono chiare?

- Come posso chiarirle ulteriormente?

- Prendete consapevolezza di quella che è la vostra attuale richiesta. Delimitatela in modo da riuscire effettivamente a realizzarla.

Regine era in crisi. Dopo aver letto un libro, la giovane insegnante si era convinta che tutti i suoi problemi fossero legati al suo lavoro, che le appariva insensato e inadatto a lei. Aveva pertanto deciso di rinunciarvi e di mantenersi dando solo lezioni private. Non era stata in grado di nominarmi una professione che secondo lei avesse più senso e per la quale si sentiva più motivata e più portata. Alla fine, dopo sei sedute di coaching, questa insegnante ipersensibile riuscì a salvare la sua esistenza professionale. Avendo adottato un atteggiamento ormai molto più rilassato nei confronti del lavoro, decise di riprenderlo, ma di interrompere le sedute. Si dichiarò anche non interessata ad approfondire l'argomento, prendendo parte a uno dei miei seminari. Lì avrebbe potuto imparare a gestire meglio gli stimoli, a prendere più distanza da se stessa e dalla propria situazione professionale, a definire i propri limiti, a riconoscere quanto contribuiva lei stessa al proprio stress e a prevenire l'esaurimento. In poche parole, avrebbe potuto

operare una sorta di profilassi. Regine mi ricordò quegli scolari che studia-
no quel tanto che basta per portare a casa la sufficienza. Come insegnante,
comunque, anche lei fu promossa alla classe successiva.

Da osservare è il fatto che molti ipersensibili, quando si
propongono di cambiare professione, puntano ancora più in
alto rispetto a quanto fatto fino a quel momento. Spesso aumentano ulteriormente le pretese nei confronti di sé e della
loro professione, prefissandosi di migliorare il mondo o di
realizzarsi al meglio. Così facendo, in realtà, non fanno che
investire sempre più energie in quel gioco che li porta a esigere troppo da se stessi e a doversi poi rassegnare senza intuire
il meccanismo che opera dietro tutto questo.

Spesso emerge che alla fine non è tanto necessario cambiare professione o posto di lavoro, quanto piuttosto il proprio atteggiamento nei confronti del lavoro e di colleghi e
superiori. Anche se spesso questo richiede di investire tempo
e denaro in un coaching o in un seminario, la spesa sarà senza dubbio inferiore ai costi economici di un licenziamento,
di un'interruzione di lavoro o di un cambiamento radicale.

Per gli ipersensibili è addirittura più importante che per
altri fare sempre qualcosa per sé, per la propria base professionale e quindi anche materiale, poiché sono più vulnerabili
e meno inseriti in un contesto sociale in grado di proteggerli,
tanto che nei momenti di crisi ripiegano spesso solo su se stessi. Cercate invece sostegno e vedrete che vi sentirete meglio!

Tra desiderio di contatto e ripiego su se stessi:
i rapporti sociali

La sensibilità spiccata non è assolutamente da confondere
con l'introversione, vale a dire con la tendenza naturale di
un individuo a chiudersi e a rivolgere il proprio interesse verso l'interiorità. Così come esistono ipersensibili introversi, ne
esistono anche di estroversi, amanti dei contatti sociali e interessati all'ambiente esterno.

Riflessione

Domande chiarificatrici quando si intende cambiare lavoro

- Punto a un obiettivo concreto o me ne sto allontanando?

Se la risposta è la seconda, di certo c'è ancora qualcosa da chiarire o da imparare. Se non lo fate, correte il rischio di ritrovarvi in futuro nella stessa situazione e di entrare di nuovo in crisi. Conviene senza dubbio adottare i cambiamenti necessari (sia su di sé, sia sul proprio atteggiamento) nella situazione presente, sempre che sia ancora possibile farlo.

A cosa è dovuto esattamente il fatto che desiderate un cambiamento?

- Al lavoro in sé?
- Alla quantità di lavoro?
- Al rapporto con i colleghi?
- Al rapporto con i superiori?
- Al rapporto con i clienti?
- Alla mancanza o alla diminuzione di motivazione da parte vostra?
- Alla mancanza di riconoscimento?
- Ad altre condizioni generali?
- A pretese troppo elevate da parte vostra?
- Alla mancanza di equilibrio fuori dal mondo professionale?
- Alle proprie condizioni energetiche e di salute?

Quali misure possibili avete già intrapreso per modificare la situazione?

- Ci sono altre possibilità per migliorare il rapporto?
- Avete già avuto dei colloqui per chiarire il tutto?
- Quali aiuti esterni potete prendere in considerazione?
- Su quali appoggi potete fare affidamento al di fuori della sfera professionale?

Naturalmente non si può scegliere con quale indole venire al mondo e come conviverci. Ho incontrato molti ipersensibili che erano effettivamente estroversi, ma vivevano un'esistenza ritirata perché non sapevano come gestire la propria modalità percettiva, come stabilire i propri limiti e come superare le offese.

Predisposti per i contatti sociali

Nella comunicazione, la dote della sensibilità spiccata può rivelarsi un grande vantaggio, perché permette di intuire molte cose, di percepire il non-detto e di immedesimarsi perfettamente nella situazione altrui. Nessuno, quanto un ipersensibile, è in grado di percepire in modo così preciso come si sente qualcun altro; nessuno riesce a capirlo così bene. Se però ci immedesimiamo nella situazione di un'altra persona e nel farlo non rimaniamo centrati su noi stessi e non fissiamo i nostri limiti, corriamo il rischio di perderci nell'incontro con l'altro. Impariamo quindi a chiederci: Chi sono? Chi è l'altro? Sono ancora qui? Riesco a percepirmi ancora?

Un ipersensibile che non è in grado di difendere la propria posizione, rischia di rimanere impegolato in tutte le possibili varianti di rapporti interpersonali. In quel caso ci lasciamo sfruttare, manipolare e comandare, ci lasciamo coinvolgere in intrighi e più siamo aperti, più siamo vulnerabili. Senza rendercene conto possiamo diventare alleati compiacenti in giochi psicologici distruttivi.

Tra il desiderio di fusione e la necessità di delimitarsi

Il nostro primo rapporto nella vita è stato il legame con nostra madre: nel grembo materno eravamo protetti e riforniti di tutto il necessario. Anche una volta nati siamo rimasti per molto tempo in grande intimità con nostra madre. Tutti portiamo dentro di noi un'immagine di perfetta armonia e alcuni cercano per tutta la vita di realizzarla. Forse è anche questo che ci spinge alla ricerca di unione e trascendenza.

Il mondo là fuori, tuttavia, appare diverso. Magari già all'interno della nostra famiglia ci siamo scontrati con rivali nel cercare di ottenere attenzioni, cure e affetto: i nostri fratelli e le nostre sorelle. E al parco giochi, sul campetto di calcio, all'asilo, a scuola, per la strada e ancor più in ufficio o in fabbrica incontriamo altri che, seppur ben disposti nei nostri confronti, ci fanno concorrenza nella ricerca di considerazione e apprezzamento, nella corsa alla carriera e all'aumento di stipendio, nell'assicurarsi posizioni di rilievo e potere. Persino tra le amicizie e nella vita a due ci contendiamo attenzioni, energia e potere sull'altro.

Coloro che hanno sacrificato la percezione di sé per essere uguali agli altri, in questa sorta di gara partono svantaggiati sin dall'inizio. Non sono consapevoli di se stessi e dei propri bisogni oppure lo diventano quando ormai è troppo tardi. Non sono centrati su se stessi e non occupano la posizione che spetta loro. Nessuna meraviglia, quindi, se all'interno della competizione quotidiana finiscono sempre per avere la peggio.

Più vengono ignorati nello scontro di tutti contro tutti, meno riescono a imporsi e più ricercano armonia ed equilibrio. Nel contatto con l'altro desiderano spesso quella condizione armoniosa di unione e fusione sperimentata un tempo nel grembo materno. Si tratta tuttavia di un desiderio destinato a priori a rimanere insoddisfatto. Ogni volta gli ipersensibili si ritrovano a mani vuote e deludono se stessi: per quanto un contatto possa essere stretto e affettuoso, dobbiamo ricoprire la nostra posizione, difendere i nostri interessi e riuscire a farci valere, altrimenti perdiamo non solo la parte che ci spetta di diritto, ma anche la stima, il rispetto e l'approvazione altrui. Anche qui emerge l'importanza della presa di coscienza di se stessi: quando siamo centrati su di noi diventa possibile formulare non solo un "no" chiaro e deciso, ma anche un "sì" incondizionato.

Tipico degli ipersensibili: poche amicizie, ma intense

La maggior parte degli ipersensibili tende ad avere pochi amici, ma a sviluppare con loro un legame molto intenso. Spesso fin dall'infanzia è sufficiente concentrarsi su una o due amicizie, il che permette anche di limitare il flusso di stimoli a un livello che risulti sopportabile. Un numero limitato di amici consente anche di trovare nel contatto l'intensità tanto apprezzata da chi è ipersensibile.

In realtà, in termini di amicizia abbiamo molto da offrire: diventare amico di un ipersensibile significa poter contare su una persona fidata, in grado di prestare ascolto in maniera eccellente e capace di grande empatia, comprensione e sesto senso e che in generale si dimostra pronta a prestare aiuto in maniera disinteressata.

Ciononostante, molti ipersensibili vivono soli e preferiscono starsene per i fatti loro piuttosto che rischiare di rivivere esperienze del passato, mai superate. Di solito non si rendono conto di quanto essi stessi contribuiscano a evitare amicizie o a crearsi delusioni, perché molti conoscono solo due possibili tipi di relazione: o tutto o niente. Nel rapporto con l'altro danno sempre il cento percento e nel contatto intenso perdono se stessi o si tirano indietro del tutto. A impedire di stabilire contatti equilibrati è l'eccessiva richiesta che pongono a se stessi e alla relazione in corso.

Se tendete ad avere problemi con le amicizie, probabilmente quanto ho appena detto vi risulterà familiare. Di frequente gli altri non sanno fornire quel grado di intensità e di profondità che voi ricercate in una relazione. Di conseguenza, il contatto con voi risulta troppo stancante agli altri e lo cercano solo quando chiedete di essere capiti, avete bisogno di un appoggio o di un aiuto. Allora, probabilmente, vi sentite perfettamente a vostro agio: trovare risonanza nell'altro e tramite essa avere la conferma di se stessi fa sentire senza dubbio bene. Amate l'intensità dei dialoghi e la mettete a disposizione del prossimo, ma tutto questo impegno vi porta inevitabilmente a perdere di vista voi stessi e i vostri bisogni.

Gli ipersensibili non riescono a evitare di essere tali anche nel contatto con il mondo esterno e nel difendere la propria posizione. Anziché perdersi nell'altro e perdere di vista i propri problemi e bisogni, possono approfittare della propria sensibilità per mantenere la relazione in un perfetto equilibrio. In questo modo fanno non solo qualcosa di buono per se stessi, ma anche per l'amico, perché un'amicizia è salda solo se è anche equilibrata. Anche questo è importante, se si vogliono mantenere buoni contatti.

Navit, una studentessa di sociologia, mi raccontò la seguente storia: "Mentre la mia amica stava svolgendo il dottorato, era solita parlare con me di tutti i problemi che incontrava e attraverso il mio ascolto e le mie domande riusciva sempre a trovare soluzioni. Cercavo di motivarla proprio come avrei voluto che facesse lei con me se mi fossi trovata nella sua situazione. Una volta stampata la tesi, me ne presentò una copia. Fu con estrema delusione che lessi le due pagine di ringraziamenti, l'unica parte che ancora non conoscevo. Non riuscivo a crederci: tra i tanti nomi citati, mancava il mio. All'inizio ci rimasi davvero male. Ovviamente da quel momento la situazione non fu più la stessa – per entrambe le parti. Lei, infatti, ormai non aveva più bisogno di me: aveva raggiunto il suo scopo. Solo a quel punto mi resi conto che attraverso il mio aiuto mi ero sempre messa a sua completa disposizione. Mi ero dedicata più ai suoi problemi che ai miei. Mi ero piantata in asso".

Quando in un'amicizia subentrano simili squilibri, cercate di impedire il peggio, ossia la rottura del contatto! Non ci si può sbarazzare in quattro e quattr'otto delle persone, anzi: con il nostro rifiuto e la nostra ostilità non facciamo che rafforzare la presenza di coloro che preferiremmo dimenticare e magari abbiamo cancellato dalla nostra agenda. Ancora anni dopo la rottura, continueranno ad aggirarsi come spettri nella nostra mente. Interrompere un contatto non fa guadagnare niente a nessuno. Non insegniamo niente al prossimo, né noi traiamo qualche insegnamento dalla situazione. Solo continuando a vivere quella situazione possiamo risolvere il problema. Prima o poi, forse, riusciremo persino a ringraziare l'altro per averci fatto presente un nostro punto debole.

Contatti equilibrati

Un principio fondamentale dei rapporti interpersonali è costituito dall'equilibrio. Spesso l'equilibrio tra dare e ricevere risulta disturbato. A volte si può osservare che chi vorrebbe anche ricevere qualcosa dall'altro, ogni tanto, cerca di ottenerlo adottando una tecnica infantile, ossia dando lui stesso sempre di più nella speranza di ricevere qualcosa in cambio! Così facendo, in realtà, non fa che rovinare ancor più l'equilibrio, fino a far rovesciare l'intera bilancia.

All'interno di una relazione, a stabilire l'intensità dello scambio è sempre quello che chiede meno all'altro. Pretendere di più equivarrebbe già a esercitare una pressione. L'altro potrebbe reagire solo aumentando la distanza o, in casi estremi, ritirandosi completamente dalla relazione.

RIFLESSIONE

- Come reagisco a uno squilibrio nella relazione?
- Tendo a dare ancora di più? Intensifico i miei sforzi?
- Avanzo richieste sempre più eccessive nei confronti dell'altro?
- Decido di non dare più niente?
- Mi ritiro completamente dalla relazione o interrompo addirittura i contatti?
- Riduco gli eccessi dannosi e cerco di ristabilire l'equilibrio?

GENITORI E FIGLI

L'immagine della bilancia non vale, ovviamente, per il dare e ricevere tra genitori e figli! Anche in questo caso, comunque, i genitori possono danneggiare l'equilibrio pretendendo o concedendo troppo. Provate a chiedervi: in base a quali criteri mi oriento? In base ai miei bisogni (magari troppo trascurati) e alle mie idee o ai bisogni e al benessere di mio figlio?

L'equilibrio viene spesso danneggiato dal fatto che uno dei due interessati ha difficoltà ad accettare anche lui qualcosa. Fate una prova: come vi sentite quando ricevete un regalo? Come vi sentite quando siete costretti ad accettare aiuto? E quando siete voi stessi a fornirlo?

Un altro disturbo all'equilibrio di una relazione consiste nel non riconoscere quello che uno dà o è in grado di dare all'altro. Nel caso estremo il risultato può essere: entrambi danno qualcosa, ma nessuno crede di ricevere niente. I conti aperti che non si osano presentare all'altro aumentano sempre di più... e allo stesso modo si accumulano i doni che non siamo in grado di riconoscere e di apprezzare.

Per il dare e l'aiutare vale quanto segue

Tutto ciò che do a un altro, lo do di mia spontanea volontà. In realtà lo do per me stesso, perché vorrei che così andasse il mondo. Tutto ciò che faccio per un altro lo faccio in realtà per me, perché desidero essere così. In questo modo mantengo l'idea che ho degli altri e di me stesso. Per esempio, vorrei essere affettuoso, generoso e dimostrarmi tale. In questo modo sarei in armonia con i miei valori. Questa conferma mi trasmetterebbe una buona sensazione e libererebbe le mie energie. Quello che do all'altro, lo do anche a me stesso. Non ha senso, pertanto, presentare prima o poi il conto finale.

Una sfida: gli ipersensibili e la vita di coppia

In genere ci sentiamo attratti da quello che ci manca. Capita quindi che gli ipersensibili attirino quasi automaticamente partner non altrettanto sensibili. Da una situazione simile possono nascere relazioni stabili, nelle quali i due partner si compensano a vicenda. I presupposti fondamentali sono un rapporto reciprocamente costruttivo, il rispetto della diversità dell'altro e la tolleranza da parte di entrambi. In questo caso tutti e due i partner possono trarre vantaggio dalle doti, dalle capacità e dal modo di vedere le cose del compagno.

Altre relazioni di coppia si basano sulla ricerca, da parte di entrambi, di punti e aspetti in comune. Alcuni ipersensibili desiderano un compagno dotato di altrettanta sensibilità, ma in questo caso il rischio è non riuscire a crescere, perché vengono a mancare gli spunti necessari. Specialmente quando entrambi si punta soprattutto a mantenere l'armonia, si rischia di produrre esattamente il risultato opposto, creando conflitti che vengono riconosciuti solo troppo tardi e che non si era nemmeno ritenuti possibili. Per questo le relazioni di coppia tra due ipersensibili alla fine possono rivelarsi molto meno stabili di quelle tra un ipersensibile e una persona dotata di minore sensibilità. Questo, tra l'altro, vale anche per le amicizie e tutti gli altri tipi di contatto! L'incontro con l'altro e con il suo modo differente di vedere e di vivere la realtà ci apre una finestra sull'universo e ci permette di crescere.

Diventare lo specchio del partner

Noi ipersensibili ci immaginiamo e ci immedesimiamo così spesso nel partner da dimenticare noi stessi e diventare il suo specchio. Per l'altro tutta quell'attenzione, quelle premure e quell'energia all'inizio possono anche risultare piacevoli, ma in realtà anch'esse rappresentano solo una perdita: la perdita dell'altro, della controparte. Nelle conversazioni sente solo l'eco di se stesso, incontra le proprie emozioni e quando cerca l'altro non trova niente. Non tutti sono così ossessionati dal proprio ego da apprezzare un rispecchiamento di questo tipo. Inoltre c'è anche qualcos'altro che va perso: la tensione sessuale. In un rapporto di questo tipo c'è troppa armonia, per l'uomo non c'è più nulla da conquistare (ogni volta, di nuovo). E per la donna è lo stesso: non è affatto stimolante lasciarsi "conquistare" da un tranquillo sempliciotto che farà sempre, più o meno, quello che lei si aspetta.

La relazione di coppia vive di affinità e di contrasti, che permettono il corretto fluire dell'energia e la crescita. Per questo non viene premiato il sacrificio di se stesso all'altro, anzi: prima o poi la vita presenterà una sorta di "punizione" che obbligherà a crescere. Alla perdita della propria posizione si aggiunge anche quella del partner. Piantato in asso in quel modo, questo viene attratto da un partner più eccitante, che promette un po' più di vivacità e di sfida. Colui o colei che si è più o meno sacrificato ha comunque modo di rendersi ancora utile: occupandosi della casa e dei figli o portando a casa lo stipendio e occupandosi del giardino. Per evitare che gli ipersensibili si ritrovino relegati in questo ruolo marginale è ancora una volta fondamentale pensare a se stessi e occupare la posizione che compete.

Un desiderio pericoloso

Molti ipersensibili che hanno visto fallire la propria relazione dopo essere diventati lo specchio dell'altro sognano di incontrare un partner dotato di una maggiore sensibilità. Ma cosa può succedere se non hanno imparato niente dall'esperienza precedente? Potrebbero incontrare un nuovo compagno anch'egli con la tendenza a perdersi nell'altro. In tal caso due specchi si rispecchierebbero l'uno nell'altro ed entrambi i partner si assomiglierebbero pur non avendo più niente a cui adattarsi. Rimarrebbero a mani vuote.

Esistono anche ipersensibili che esasperano reciprocamente la propria sensibilità. Sanno meglio di altri come ci si possa manipolare e ferire a vicenda. Può perfino accadere che combattano nell'altro quelle parti che non riescono a tollerare di se stessi.

Più rare, ma comunque possibili, sono le relazioni di ipersensibili consapevoli di sé nelle quali ciascuno occupa e difende la propria posizione, nelle quali pur amandosi ci si prende il proprio spazio, si stabiliscono i propri limiti e si concede al partner di fare lo stesso. Per riuscirci sono necessarie da parte di entrambi autonomia, responsabilità e consapevolezza. All'illusione della fusione con l'altro si è rinunciato, anche se a volte si ha la meravigliosa occasione di sperimentarla. Nel partner non si cerca l'anima gemella, ma un compagno allo stesso tempo affine e diverso, che ci fa sentire più completi e ci permette di crescere. In questo caso la relazione di coppia è anche una strada che porta a se stessi.

Bea (48 anni), che lavora come assistente di un dentista, racconta: "All'inizio cercavo continuamente di cambiare mio marito. Volevo che sviluppasse la mia stessa sensibilità. Oggi mi chiedo come sia riuscito a sopportare una cosa simile. Ho imparato a gestire meglio la mia ipersensibilità e ora non gli rovino più ogni occasione cercando dapprima di adeguarmi a lui e andando oltre i miei limiti, per poi irritarmi inutilmente e diventare insopportabile. La cosa strana è che da quando mi prendo più cura di me stessa e lui mi permette di farlo, usciamo più spesso di prima. Senza mio marito mi sarei chiusa sempre più in me stessa. È bello che lui sia diverso da me. Oggi sono in grado di apprezzarlo".

Vicinanza ben dosata

Alcune relazioni di coppia sarebbero più stabili se gli ipersensibili imparassero a essere presenti a se stessi e a incontrare il partner da quella posizione. In tal modo riuscirebbero anche a percepire i propri bisogni. Nella pratica significherebbe, per esempio, accorgersi per tempo di aver bisogno di stare soli con se stessi o che l'altro si sta avvicinando troppo. Uno spazio tutto proprio, pur piccolo che sia, rappresenta già un'ottima garanzia in questo senso.

Ogni relazione di coppia rappresenta una grande sfida per un ipersensibile, in quanto comporta il fatto di riuscire a stare in contatto con l'altro senza perdere il contatto con se stessi. Comporta il saper percepire per tempo i propri bisogni e soddisfarli senza finire per fare l'opposto e mettersi al servizio del proprio ego. La relazione di coppia ci insegna a mantenere l'equilibrio tra noi e il partner, evitando meschinità reciproche o di pretendere troppo dall'altro e sfruttare la nostra sensibilità per controllarlo.

RIFLESSIONE

IL PROPRIO BISOGNO DI VICINANZA E DI DISTANZA

- Quanta vicinanza è positiva per me? E di quanta distanza ho bisogno? E di quanto spazio per me?

- E l'altro? Di quanta vicinanza, distanza e spazio per sé ha bisogno?

- Di quanta comunanza ha bisogno ognuno di noi? Dove si trova la distanza ottimale?

- Quand'è che entrambi stiamo meglio? Dove si trova il nostro reciproco confine, lungo il quale ci incontriamo e a volte ci scontriamo?

Anita (52 anni), che lavora come naturopata, ha un lungo percorso alle spalle: "A un certo punto mi sono resa conto di aver sempre percepito come si sentiva mio marito e di cosa aveva bisogno. Quando però era lui a chiedermi cosa volevo e cosa pensavo, mi serviva sempre un po' di tempo prima di riuscire a rispondergli, a volte anche parecchio. Non mi riusciva affatto facile e ho dovuto imparare a farlo. Mi sono quindi accorta che fino a quel momento era stato comodo per me orientarmi semplicemente su di lui, senza contare che così facendo potevo anche dargli la colpa quando non vedevo soddisfatti i miei bisogni, che si facevano sentire solo quando era troppo tardi. Lui non è così sensibile come me e sa sempre cosa vuole e cosa è bene per lui. È sempre presente a se stesso. Ora sto imparando da lui quello che un tempo invidiavo tanto negli altri".

Il desiderio dell'"anima gemella"

Ancora più pericolosa delle aspettative eccessive nei riguardi di un partner è il mito dell'anima gemella, della totale fusione con un'altra persona apparentemente del tutto simile a se stessi. Quest'idea impedisce a molti di intraprendere relazioni concrete e mette in pericolo quelle di chi è già in coppia.

Spesso noi ipersensibili pretendiamo troppo da contatti, amicizie e relazioni sentimentali con il prossimo. Gli altri, molte volte, non sono in grado di garantirci l'intensità da noi richiesta nel rapporto. Per esempio, si allontanano quando un ipersensibile cerca di approfondire un determinato argomento, oppure non capiscono che può avere un senso mettere in dubbio qualcosa che è sempre stato così. Il desiderio di intensità porta l'ipersensibile a pretendere troppo dall'altro e gli procura spesso delusioni.

Molti di noi si sono ritrovati troppe volte a mani vuote e ora non desiderano più niente. La mancanza di limiti ben definiti ci porta a mantenerci troppo a distanza dall'altro, tanto che non lo incontriamo davvero, oppure tendiamo a osare troppo. La situazione si complica ulteriormente quando un ipersensibile desidera entrambe le cose: sembra cercare intimità, ma poi pigia subito il freno, temendo di perdersi di nuovo e di dover rinunciare ancora una volta a se stesso. Possiamo risolvere questo conflitto solo nel momento in cui impariamo a centrarci su noi stessi e nell'incontro con l'altro assumiamo la nostra posizione e rimaniamo presenti a noi stessi.

Afra descrive il proprio percorso in questo modo: "Ho sempre in me questo desiderio. A volte fa anche male, ma è una sensazione intensa, una sorta di tensione o di senso di unione con il tutto che mi ha sempre fatta sentire diversa dagli altri. Ogni volta rivolgevo questo mio desiderio al partner, ma poi finivo sempre per deluderlo e piantarlo in asso. Volevo sempre quello che in quel momento non avevo e questo mi faceva sentire sola e insoddisfatta. A dire il vero ero piuttosto insopportabile. Oggi ho imparato che non perdo questo legame se mi lascio coinvolgere dalle situazioni della vita quotidiana e da una persona concreta, in carne e ossa. È un po' come una pianta che ha messo radici profonde e ora può crescere.

Vivere la spiritualità

Questo profondo desiderio che tanti di noi avvertono, non ha modo di essere soddisfatto definitivamente attraverso i contatti interpersonali. Tra le persone questo desiderio di unione e di totalità finisce nel vuoto o incontra resistenza; eppure continua a farsi sentire e chiede di essere vissuto. Costituisce il terreno della spiritualità, che per noi ipersensibili è estremamente importante. Se questa spiritualità viene vissuta e si dirige il desiderio di armonia e di perfezione verso di essa, ossia verso il trascendente, si smette di cercare tutto questo all'interno dei rapporti con gli altri e lo si rende finalmente possibile.

Ciononostante, anche quando viviamo la nostra spiritualità e religiosità, corriamo comunque dei pericoli. La spiritualità è il tentativo di diventare una cosa sola con il tutto. Le religioni sono il tentativo di dare alla spiritualità una forma concreta e sociale. È il nostro desiderio di purezza e di perfezione, unito al riconoscimento delle nostre limitatezze e contraddizioni, a farci adottare un atteggiamento troppo rigoroso e ostile alla vita, e a spingerci a optare per sette religiose o una forma di spiritualità individuale.

Riflessione

- La pratica spirituale mi fa sentire in unione con la totalità o, piuttosto, separato da essa (e quindi dalle persone che vi appartengono)?

- La mia spiritualità è apolide e astratta?

- La mia spiritualità ha modo di ripercuotersi sugli altri finché mi limito a viverla tra le quattro pareti della mia stanza?

- Abuso forse della mia spiritualità per sentirmi migliore e più puro degli altri, per elevarmi al di sopra di loro e, così facendo, separami da loro e dal tutto?

CAPITOLO 5

Percorsi terapeutici corretti e inadeguati

Il fatto che la psicologia abbia ignorato a lungo il fenomeno dell'ipersensibilità (e, in parte, continui a tutt'oggi a farlo), impedisce a molti ipersensibili di riconoscere la propria natura più vera e il dono particolare di cui dispongono, ma produce anche ulteriori danni nel momento in cui gli interessati decidono di prendere in considerazione un aiuto terapeutico.

Oltre a non trovare, in genere, la soluzione più adatta tra quelle riconosciute dall'assistenza sanitaria e a essere sottoposti a un'infinità di esami e terapie a causa dei disturbi provocati dal loro diverso modo di percepire ed elaborare gli stimoli, gli ipersensibili si vedono spesso presentare diagnosi sbagliate da un sistema che parte non tanto dal singolo individuo, quanto piuttosto da una griglia di "diagnosi" preconfezionate.

Per cosa viene scambiata l'ipersensibilità

Nei manuali di diagnosi più diffusi non si trova il capitolo dedicato all'ipersensibilità e forse questo è una fortuna per i diretti interessati! Ciò non toglie che da qualche parte si debba pur trovare il modo di inserire i disturbi degli ipersensibili nel sistema di classificazione della psicoterapia ufficiale, dell'assistenza sanitaria e dei libri di testo. Si ricorre quindi a categorie che contengano qualcosa di apparentemente simile a tali disturbi e semplicemente si ignora o si omette tutto ciò che non rientra nello schema diagnostico. E così gli ipersensibili alla ricerca di aiuto si ritrovano spesso catalogati all'interno delle denominazioni più strampalate.

È del tutto possibile che le conseguenze di un'ipersensibilità non vissuta in modo positivo risultino per certi versi simili ai "sintomi" delle diagnosi sotto riportate: proprio per questo la si scambia per qualcos'altro. Ciononondimeno, le cause alla radice sono ben diverse e altrettanto dicasi dell'aiuto che dovrebbe arrivare all'interessato da parte del terapeuta. Prestate attenzione se vi sentite formulare una delle seguenti diagnosi.

Nevrosi, depressione e sindromi ansiose

Per molto tempo sono state queste le "etichette" che gli ipersensibili si sono visti appioppare – di certo non le peggiori tra le tante. Alcuni dei partecipanti ai miei seminari, che oggi hanno imparato a controllare da soli il proprio modo di percepire ed elaborare gli stimoli, hanno avuto modo di sperimentarlo di persona.

Instabilità emotiva

Senza alcun dubbio tra coloro ai quali è stata diagnosticata una "instabilità emotiva" si trovano numerosi ipersensibili. Un ipersensibile incapace di filtrare i vari stimoli e, di conseguenza, sottoposto a grande sforzo e sofferenza poiché non sa ancora come prendere distanza da quanto percepito, non sa centrarsi su se stesso e stabilire i propri limiti, lasciandosi ben presto dominare da emozioni alternate, che spesso non sono neppure le sue.

Co-dipendenza

Allo stesso modo è facile immaginare che gli ipersensibili, spesso più concentrati a livello energetico sugli altri che su se stessi e che tendono a perdersi nello sforzo di aiutare l'altro, finiscano facilmente per ritrovarsi impigliati in una co-dipendenza. Se il partner, per esempio, ha un problema di dipendenza da droga, alcol o medicinali, in molti casi l'ipersensibile diventerà un co-dipendente che (senza volerlo) renderà sopportabile la dipendenza all'altro e (senza rendersene conto) contribuirà a prolungarla nel tempo.

Dipendenze

Dietro alcune dipendenze può celarsi il tentativo di attutire la propria ipersensibilità o almeno rendere un po' più sopportabile per un momento il conflitto tra le proprie aspirazioni e la cruda realtà. Naturalmente, assieme al comportamento dipendente si acutizza anche la sensibilità. A volte disturbi organici ormai cronicizzati e che sono espressione della sensibilità spiccata possono accompagnarsi a una dipendenza da medicinali atti ad attenuarla.

Autismo

Quando un bambino non sembra comportarsi a livello sociale come previsto dalle aspettative, rischia di sentirsi presentare un'altra diagnosi: una madre ipersensibile mi raccontò che avevano cercato di dichiarare a tutti i costi "autistico" suo figlio di dieci anni. A scuola la maestra aveva notato che il bambino manteneva sempre e solo un contatto con un amico e preferiva evitare gli altri compagni. Si decise quindi di sottoporlo a un test diagnostico, che in realtà si sarebbe benissimo potuto evitare: un bambino autistico non avrebbe mai potuto mantenere un contatto così intenso come quello che il figlio della signora aveva con l'amico e i familiari. Quello che era stato definito un suo handicap, in realtà era un suo punto di forza: limitandosi a un contatto esclusivo al di fuori della famiglia, quel bambino riusciva a operare un controllo sugli stimoli esterni, limitandoli alla quantità che era in grado di sopportare.

Borderline

Un ulteriore pericolo per gli ipersensibili è rappresentato dalla diagnosi del disturbo borderline di personalità. La definizione "borderline" compare in svariate combinazioni e rende evidente il dilemma di una psicoterapia e psichiatria orientate alla diagnosi: chi non può essere incasellato nella definizione "psicosi schizofrenica", ma nemmeno essere definito "psichicamente sano", non rientra nel grande contenitore dei disturbi di personalità o in quello delle nevrosi e finisce con tutta probabilità nel sacco estendibile con la scritta "borderline". Tra gli interessati da questa diagnosi, assieme ai soggetti ipersensibili che sono anche High Sensation Seeker, ci sono quelli particolarmente poco centrati e incapaci di gestire i propri limiti e che di conseguenza si ritrovano spesso impegolati in conflitti interni ed esterni che li rendono instabili, particolarmente vulnerabili, facilmente sopraffatti e li portano a reagire in modo violento e impulsivo, fino ad arrivare all'autolesionismo. Appare evidente che in questi soggetti il senso di autostima risulti alquanto incerto.

ADHD

La più diffusa attualmente e pertanto quella più a rischio è la "diagnosi" di ADHD (sindrome da deficit di attenzione e iperattività), solitamente accompagnata dalla prescrizione di psicofarmaci per diversi anni a venire. Una sindrome da deficit di attenzione può avere le cause più svariate: sovreccitamento dovuto a eccesso di informazioni, intolleranza agli additivi alimentari, elevato consumo di zuccheri collegato a sedentarietà, modalità percettiva falsata a causa dell'uso dei media, irretimenti sistemici all'interno della famiglia e, naturalmente, cause neurocerebrali.

Si possono diagnosticare erroneamente come disturbi dell'attenzione anche i tentativi vani di un bambino di sottrarsi alla monopolizzazione da parte di uno dei genitori. Può trattarsi dell'intenzione da parte sua di ribellarsi a una società che gli impedisce di godersi l'infanzia e che lo costringe a dare sempre il massimo. Eppure, i sostenitori del concetto ADHD, di norma maniaci del rapporto effetto-causa, non sembrano interessarsi affatto delle cause dei disturbi dell'attenzione, oggi sempre più diffusi...

Ormai la sindrome ADHD viene diagnosticata anche agli adulti. La descrizione dei sintomi ricorda molto quella di un ipersensibile che non ha ancora imparato a gestire la sua particolare predisposizione.

Come nascono i nodi

La sensibilità spiccata è una dote, e non un disturbo psichico. Essere ipersensibili non significa assolutamente essere costretti a soffrire della propria condizione, anzi: quelli che sanno gestire la propria particolare modalità di percepire ed elaborare stimoli hanno a disposizione più possibilità di godere della vita.

Fondamentalmente gli ipersensibili possono soffrire di tutti i problemi psichici di cui soffrono i normali individui; hanno semplicemente una maggiore predisposizione per determinati disturbi legati al loro particolare modo di percepire la realtà. Il non accettare la propria natura e i tentativi infantili di adattamento diminuiscono le possibilità di crescita e di felicità di un individuo. Un clima sociale nel quale il bambino è costretto a rivolgere l'attenzione verso l'esterno, caratterizzato da violenza, limiti incerti e regole non chiare, abuso psichico e monopolizzazione, non può che ostacolarne ulteriormente la crescita.

Iperattività o ipersensibilità?

Forse vi starete chiedendo come si possa distinguere la sindrome da deficit di attenzione e iperattività dalla sensibilità spiccata, dove si trovi esattamente il confine tra le due. A essere precisi, non è possibile farlo, poiché la sensibilità particolarmente sviluppata non è un disturbo, ma una condizione, un dono e un modo di essere. Si tratta di categorie differenti: si è ipersensibili, si ha l'ADHS.

Teoricamente si potrebbe essere ipersensibili e allo stesso tempo soffrire anche della sindrome di ADHS – sempre a condizione che si creda a tale costrutto. Per essere precisi si dovrebbe parlare, per esempio, di un disturbo da deficit di attenzione dovuto al mancato controllo sulla percezione oppure di un disturbo da deficit di attenzione dovuto ad alimentazione scorretta e stile di vita sedentario e via dicendo.

La definizione generale di ADHS, che include disturbi simili, ma provocati da cause differenti, corrisponde al quadro di una persona contraddistinta da norme: come gli si chiede di essere, se il suo comportamento corrisponde a determinate regole e via dicendo.

Completamente diversa è la sensibilità spiccata: a livello fenomenologico essa parte dalla percezione e dal rispetto della natura delle persone concrete. L'ipersensibilità si può ereditare, si viene al mondo con questa indole e questo dono si ha sin dalla nascita. Secondo questo concetto non si tratta di obbedire a una norma, bensì vivere secondo la propria natura, crescere e sviluppare i propri talenti nel migliore dei modi per il bene di tutti. Diventare la persona che si è destinati a diventare è anche un processo di presa di coscienza.

Chi dimentica la percezione del proprio corpo pur di adeguarsi, perde il contatto con il corpo e non è più centrato su se stesso, non avverte più le proprie energie e i propri limiti. Così facendo si rischia di sopravvalutarsi o sottovalutarsi: si pretende troppo da sé o si rimane al di sotto delle proprie possibilità. Di conseguenza, l'autostima è labile. Con il corpo si perde anche la capacità di accertarsi della correttezza delle proprie conclusioni, di giungere a risultati chiari e di limitare i propri ragionamenti. In questo modo la testa può rendersi autonoma e generare addirittura da sola i propri problemi.

Il percepirsi debole e in balia di un mondo pericoloso

Un ipersensibile che fin dall'infanzia si è lasciato sopraffare dai tanti stimoli esterni finisce per crearsi da solo la convinzione di essere debole e in balia di un mondo pericoloso. Come tutti gli schemi mentali profondamente radicati, anche queste convinzioni interiori aspirano a dimostrarsi vere. Fungono da filtri della percezione, che selezionano e potenziano solo gli stimoli che confermano questa immagine di sé e della realtà. Queste convinzioni generate dalle paure infantili possono diventare autonome e limitare sempre più l'esistenza di un individuo. La paura provoca tensione, rifiuto o chiusura in se stessi. Tale atteggiamento, a sua volta, fa apparire la realtà ancora più minacciosa, per cui vi si reagisce in modo ancora più sensibile e ci si intimorisce ulteriormente. Per questo motivo, molti ipersensibili possono riferire di timori che persino a loro appaiono esagerati. Poiché credersi deboli e minacciati da un mondo ostile ostacola inevitabilmente la crescita di chiunque, molti ipersensibili non permettono alle loro energie di fluire liberamente. La possibile conseguenza di questo sono gli stati depressivi.

Meccanismi di difesa risalenti all'infanzia

Se un bambino si crede debole e indifeso di fronte a un mondo minaccioso, non può che giungere a determinate conclusioni: sviluppa determinate strategie che lo dovrebbero aiutare a gestire la situazione. "Sono piccolo e debole e il mondo là fuori mi minaccia. Come posso difendermi in modo da poter sopravvivere indenne?". Un metodo potrebbe consistere, per esempio, nel farsi ancora più piccolo nella speranza di non essere attaccato. Un'altra strategia potrebbe prevedere di individuare la persona più forte e sottomettervisi. Altre strategie prevedono invece che il bambino si adegui a genitori problematici e altri adulti, in modo da riuscire a conviverci.

Se nell'infanzia questi tentativi dalla logica infantile possono aver portato a risultati ancora accettabili, negli anni successivi si rivelano inevitabilmente nefasti. A quel punto, tuttavia, sono ormai talmente radicati da essere diventati una sorta di meccanismo automatico, del tutto indipendente dalla volontà dell'individuo. Ci si fa più piccoli e più si attirano gli attacchi da parte degli altri. Ci si sottomette e così facendo non si viene mai lasciati in pace. Si crede di poter raggiungere qualche risultato solo con la modestia e invece così facendo si determina solo il proprio insuccesso...

Un conflitto di fondo creato da richieste eccessive e richieste insufficienti

Quando un ipersensibile pur di non infastidire gli altri rinuncia alla percezione del proprio corpo e si adegua, non può nemmeno riconoscere le proprie reali forze e debolezze, né i propri limiti. Non va dimenticato, inoltre, che gli ipersensibili aspirano alla perfezione. Quando entrambi i fattori si sommano, può nascerne un sistema alternato di richieste eccessive e richieste insufficienti. Entrambe le tendenze si rafforzano a vicenda e bloccano le energie, che non hanno modo di rifluire attraverso i risultati raggiunti. Questo porta a una perdita costante di forze e a stati depressivi, e nei casi estremi alla sindrome del burn-out.

Paure sociali: le conseguenze dell'emarginazione

Nonostante (o forse proprio a causa di) questi tentativi di adeguarsi agli altri, fin dall'infanzia gli ipersensibili vengono emarginati e stigmatizzati. Questo lascia dietro di sé tracce profonde, che possono anche rivelarsi traumatizzanti. L'emarginazione viene percepita come pericolo per la sopravvivenza. Agli albori della storia dell'umanità essere emarginato dal gruppo equivaleva a una condanna a morte, pertanto la paura di questo e la tendenza ad adeguarsi ciecamente sono profondamente radicati in noi stessi. Chi ha provato a sentirsi emarginato, in seguito all'esperienza non è più lo stesso. Le proprie paure e tensioni nel contatto con l'altro portano spesso a essere nuovamente criticati ed esclusi, e questo, a sua volta, rinforza le paure a livello sociale, la timidezza e, in casi estremi, le fobie sociali.

Irretimenti sistemici

Gli ipersensibili sono fin da piccoli predisposti a ogni tipo di irretimento sistemico. Percepiscono più degli altri, sentono anche il non detto e avvertono ogni minima discrepanza. Di frequente assumono il ruolo della vittima, si sacrificano per primi pur di appianare ingiustizie o dimostrarsi solidali con chi ha subito un danno. Soffrono insieme a lui, anche se questo non è di aiuto a nessuno, e si creano da soli la loro stessa sofferenza.

Se vi ritrovate in queste ultime pagine, non esitate a chiedere aiuto a una persona competente nel campo. Anche se alcune soluzioni terapeutiche si rivelano non adatte, o adatte solo in parte ai soggetti ipersensibili, ci sono comunque buone possi-

bilità per liberarsi della prigione interiore in cui sfiducia in noi stessi, depressione e paure ci tengono bloccati. Avete tutto il diritto di vivere una vita felice e di ricevere ogni aiuto necessario per riuscire a farlo!
Ulteriori informazioni nel prossimo paragrafo.

Sciogliere i nodi

Non tutte le terapie si rivelano adatte agli ipersensibili. Quando le sedute portano solo il paziente a perdersi ulteriormente in elucubrazioni, analisi e interpretazioni varie, la terapia potrebbe rivelarsi solo un proseguimento di quello che un ipersensibile già fa abitualmente di suo e a sufficienza: rimanere impantanato in tortuosi processi mentali e perdersi nella ricerca di se stesso.

Alcune delle persone che si sono rivolte a me avevano già avuto precedenti esperienze con la terapia comportamentale. Mi riferirono di essere riuscite, in un primo tempo, a passare all'azione o a superare le paure di contatto con gli altri. Tuttavia, nei casi in cui il terapeuta non aveva preso in considerazione lo schema in loro ormai radicato che li portava ad adeguarsi e a chiedere troppo a se stessi, spesso si ottenevano risultati contrari a quelli sperati e il conflitto interiore si acuiva ulteriormente. Ricordate quindi di accennare sempre alla vostra ipersensibilità e agli schemi a essa connessi quando vi rivolgete a un terapeuta, in modo da evitare che la cura finisca per rivelarsi un'ulteriore ripetizione dei vostri inutili tentativi di adattamento.

Altri pazienti si erano sottoposti in passato a terapie del dialogo. Non va dimenticato, tuttavia, che agli ipersensibili risulta piuttosto facile adattarsi alla modalità di pensiero dell'interlocutore, per cui molto spesso riproducono quella del terapeuta, senza contare che è proprio l'attività intellettiva, che ignora la percezione del corpo, a provocare il loro dilemma e ad acutizzarlo.

Il sistema interno e il sistema esterno

Per gli ipersensibili si rivelano utili quelle terapie atte a chiarire conflitti e complicazioni interiori e a impedirne il peggioramento. Grazie a esse si riducono le tensioni e gli irretimenti con l'ambiente esterno, responsabili di pericoloso stress cronico, paure, mancanza di energia e stati depressivi.

Nel caso di irretimenti con l'ambiente esterno, amo lavorare con il metodo delle costellazioni sistemiche, da non confondere comunque con quello di Bert Hellinger, oggi alquanto diffuso. Esistono altre forme di rappresentazioni sistemiche, che spesso si rivelano più adeguate a particolari problematiche e portano a risultati più mirati. Inoltre, si possono effettuare anche in sedute singole (vedi anche i consigli di lettura).

In genere, però, ancora più importante che chiarire il sistema sociale esterno è chiarire quello interno del paziente. Come convivono le sue singole parti? Quali dinamiche fanno sì che da esse sorga un problema, che si mantiene poi nel tempo e può acutizzarsi? E cosa deve modificare il paziente per raggiungere l'obiettivo desiderato? Come interagiscono, per esempio, la parte che tende a chiedere troppo a sé e quella che tende a chiedere troppo poco per provocare ogni fine settimana sintomi fastidiosi che costringono l'interessato a sentirsi malato e a doversi fermare? E come si potrebbe controllare questo meccanismo?

Lavorare con le parti interne

In ognuno di noi agiscono differenti "personalità parziali", "parti" o "lati". Niente a che vedere con un problema di personalità multipla. Di certo anche voi lo avrete riscontrato: in alcune situazioni agite in maniera diversa da quella alla quale siete abituati. Emerge un particolare lato di noi stessi di cui altrimenti non ci accorgeremmo nemmeno. Alcune persone, per esempio, lasciano emergere il proprio lato giocoso nel contatto con i bambini; alcuni uomini, solitamente sicuri di sé e disinvolti, si trasformano in ragazzini balbettanti nel momento in cui cercano di attaccare discorso con una donna; ancora, la presenza della suocera criticona trasforma la nuora, solitamente rilassata, in un fascio di nervi. Molti di noi condividono appieno quello che Goethe ha definito "le due anime nel nostro petto". Ci capita spesso di dire, infatti: "Sì, da un lato mi piacerebbe, ma un'altra parte di me...".

Naturalmente in noi non esistono parti o settori staccati l'uno dall'altro, ma solo differenti schemi di elaborazione all'interno del nostro cervello, una serie infinita di sinapsi e combinazioni di altre sinapsi. Non appena si accenna a una particolare tematica, tutti i vari collegamenti entrano quasi automaticamente in azione e lavorano in base alle modalità ormai acquisite. E ogni volta non ci si limita a pensare in quel particolare modo, ma anche a sentire e ci si comporta di conseguenza. Ogni volta si è un'altra persona, a seconda dei "binari" che si sono imboccati. Parlare di "parti" fornisce in ogni caso un'idea più chiara di questi meccanismi.

Alcune "parti" di noi si fanno fastidiosamente notare, per esempio, perché in determinate situazioni non ci comportiamo in maniera adeguata oppure provochiamo esattamente il risultato contrario di quello sperato. Accade quando alcune "parti" non sono cresciute assieme al resto e sono rimaste bloccate in quegli schemi di reazione che nell'infanzia si erano rivelati utili, ma che ora procurano solo difficoltà. Non sono più collegate con i nostri schemi di elaborazione ormai maturi e in grado di esercitare un controllo e conducono una vita propria all'interno della nostra mente. E molto spesso sono loro a comandarci.

I meccanismi di difesa infantili, per esempio, possono "attivarsi" automaticamente nel momento in cui ci si ritrova in una situazione di insicurezza, intensificando paure eventualmente già presenti. Oppure la parte di noi convinta che siamo "piccoli e deboli" assume il controllo quando dobbiamo affrontare una sfida a livello professionale che in realtà potremmo gestire tranquillamente.

Nel lavoro sul proprio sistema interno, il paziente viene a conoscenza di queste parti sgradevoli di sé e del rapporto tra le loro buone intenzioni e le ripercussioni infauste che possono avere. Una volta presa consapevolezza di tali parti, esse vengono integrate nella personalità dell'individuo, per cui smettono di governarci e di agire su di noi in maniera autonoma. A questo punto possono essere reindirizzate verso nuovi obiettivi costruttivi e contribuire pertanto alla crescita dell'individuo. A chi desidera scoprire qualcosa di più di questi meccanismi interiori consiglio come prima lettura il libro *Reisen in die Innenwelt* di Tom Holmes, che descrive in modo coinvolgente e chiaro come possiamo gestire al meglio le varie parti del nostro mondo interiore. Alcune delle tecniche terapeutiche che lavorano con questo sistema interno sono la Ego-state therapy, la terapia IFS (sistema di famiglia interno) e l'approccio Voice Dialogue.

CAPITOLO 6

Ipersensibilità: un continuo stimolo alla crescita personale

Molti ipersensibili si sentono subito meglio nel momento in cui si riconoscono tali. La nostra, quindi, non è una condizione così disperata: siamo semplicemente un po' diversi. E non siamo soli al mondo con questa nostra caratteristica. Ce ne sono altri, che magari non abbiamo mai riconosciuto come tali solo perché sono stati veri maestri dell'adattamento. Altri, invece, possiamo averli giudicati in modo sbagliato e ritenuti esattamente il contrario di quello che sono, ossia degli insensibili, perché ci accorgevamo di loro solo quando per l'ennesima volta si spingevano oltre i loro limiti, reagivano irritati e si comportavano in maniera poco rispettosa.

Trappole lungo il cammino

Una volta riconosciuta la nostra natura ipersensibile, possiamo capirci meglio e questa è anche un'ottima premessa per riuscire finalmente ad accettarci per quello che siamo. Anche a quel punto, tuttavia, sul nostro percorso di vita ci attendono degli ostacoli. Possiamo inciampare contro pietre o seguire ingannevoli fuochi fatui che ci riportano nella palude. In passato molti di noi erano rimasti bloccati nella rete dell'adattamento, si erano lasciati sopraffare e intimorire da schemi percettivi estranei e avevano perso di vista se stessi e i propri limiti.

Dopo aver riconosciuto la nostra natura ipersensibile possiamo inciampare abusando di questa nostra caratteristica per giustificare e farci perdonare le nostre incapacità e la nostra indolenza di pensiero e di azione. In alternativa, possiamo illuderci di esercitare un miglior controllo sull'ambiente esterno arroccandoci nella condizione inattaccabile dell'ipersensibile. Alcuni cadono nella trappola della presunzione e finiscono per credersi individui migliori di altri, una sorta di "consiglieri di corte" o di "messaggeri cosmici", quando in realtà fanno persino fatica a risolvere i piccoli problemi quotidiani. Ci sono ipersensibili che ormai si identificano totalmente con la propria ipersensibilità, quasi facessero parte di una specie umana differente. Nel farlo non si rendono nemmeno conto di possedere anche altri lati e aspetti, né di comportarsi in modo affatto sensibile nel momento in cui sono sottoposti a stimoli eccessivi. Altri ancora decidono di vivere sotto una cupola di vetro che li protegge dal mondo. Altri credono addirittura di trovare un ambiente ideale limitandosi ai contatti con altri ipersensibili, in circoli ristretti, per poi essere costretti a riconoscere di essersi sbagliati...

Possiamo decidere di continuare a percepire la realtà in base alle vecchie abitudini oppure cominciare a controllarla in modo consapevole. Gestire la propria modalità percettiva in modo attivo è determinante per riuscire a non lasciarsi sopraffare dagli stimoli e mantenere la visione d'insieme, oltre che per influire sull'intensità della nostra sofferenza o della nostra gioia.

Da uno svantaggio a un vantaggio

Gli ipersensibili percepiscono di più e con maggiore intensità delle altre persone. Nella mia vita non ho intenzione di rinunciare a privilegi come una visione più ampia e più profonda della realtà e una maggiore intensità delle esperienze e dell'interconnessione al momento della rielaborazione degli stimoli registrati. Tutto questo per me significa una maggiore ricchezza interiore. Così come una sensibilità più spiccata porta a soffrire in modo più profondo, allo stesso modo permette di provare più intensamente gioia e piacere. Riconosco tuttavia che è necessario un certo sforzo affinché la caratteristica dell'ipersensibilità possa rivelarsi un vantaggio.

Solo accettando la nostra natura, apprezzandola e decidendo di controllare e dosare la nostra percezione ed elaborazione degli stimoli e delle informazioni registrate possiamo cominciare a considerare la nostra condizione un dono prezioso.

Non possiamo evitare di decidere in prima persona come gestire questa nostra caratteristica. Ci ritroviamo sempre di fronte alla scelta se soffrire o vivere in maniera sempre più consapevole e questo in ogni momento della nostra esistenza. Poi, però, veniamo ampiamente ricompensati: se all'inizio vivevamo la nostra ipersensibilità come un handicap, ora la consideriamo un vantaggio in grado di arricchire la vita nostra e degli altri!

Bibliografia

Precursori

Ernst Kretschner, *Manuale teorico-pratico di psicologia medica*, Sansoni, Firenze, 1952.
Eduard Schweingruber, *Der sensible Mensch,* Rascher, Zürich, 1934.

Opere di Elaine N. Aron

The Highly Sensitive Person. How to Thrive When The World Overwhelms You, Broadway Books, New York, 1996.
The Highly Sensitive Person's Workbook, Broadway Books, New York, 1999.
The Highly Sensitive Person in Love, Broadway Books, New York, 2000.
The Highly Sensitive Child, Broadway Books, New York, 2006.

Ulteriori opere sull'argomento

Andrea Brackmann, *Jenseits der Norm – hochbegabt und hochsensibel?*, Klett-Cotta, Stuttgart, 2007.
Bert Hellinger, *Ordini dell'amore*, Urra–Apogeo, Milano, 2003.
Tom Holmes, *Reisen in die Innenwelt. Der illustrierte Selbsterfahrungs-Guide*, Kösel, München, 2010.
Jesper Juul, *La famiglia è competente. Consapevolezza, autostima, autonomia: crescere insieme ai figli che crescono*, Feltrinelli, Milano, 2010.

Jesper Juul, *La famiglia che vogliamo. Nuovi valori guida nell'educazione dei figli e nei rapporti di coppia*, Urra–Apogeo, Milano, 2010.

Jerome Kagan, *La trama della vita. Come geni, cultura, tempo e destino determinano il nostro temperamento*, Bollati Boringhieri, Torino, 2011.

Julie Leuze, *Empfindsam erziehen. Tipps für die ersten 10 Lebensjahre des hochsensiblen Kindes*, Festland Verlag, Wien, 2010.

Peter A. Levine, *Traumi e shock emotivi. Come uscire dall'incubo di violenze, incidenti e esperienze angosciose*, Macro Edizioni, Cesena, 2011.

Georg Parlow, *Zart besaitet. Selbstverständnis, Selbstbeachtung und Selbsthilfe für hochempfindliche Menschen*, Festland Verlag, Wien, 2003.

Jochen Peichl, *Jedes Ich ist viele Teile. Die inneren Selbst-Anteile als Ressourcen nützen*, Klett, München, 2010.

Jan-Uwe Rogge, *Der große Erziehungsberater*, Rowohlt, Reinbek, 2005.

Bertold Ulsamer, *Il grande manuale delle costellazioni familiari. Come praticare la terapia sistemica di Bert Hellinger*, L'età dell'Acquario, Torino, 2007.

Artho Wittemann, *Die Intelligenz der Psyche. Wie wir ihre verborgene Ordnung aud die Spur kommen*, Kösel, München, 2000.

Per contattare l'autore
www.hsp-institut.de
info@hsp-institut.de

Ringraziamenti

Desidero ringraziare tutti coloro che hanno contribuito alla realizzazione di questo libro.

Un particolare grazie va a Dagmar Olzog, direttrice della collana di psicologia e pedagogia della casa editrice Kösel, per avermi proposto il progetto del libro al momento giusto.

Ringrazio inoltre Heike Mayer, mia lettrice e alleata nella battaglia per la chiarezza, la sintesi e la comprensibilità, per i preziosi suggerimenti di modifiche e tagli, oltre che per l'ottima collaborazione.